DANS LE SILENCE DE LA JUNGLE
de Roger Gaboury
est le trois cent cinquante et unième ouvrage
publié chez
VLB ÉDITEUR.

Mon cher Guy,

Je te souhaite une bonne lecture... même si ça prend du souffle!

Mes Amitiés,

Roger Gaboury

24 sept 91.

DANS LE SILENCE DE LA JUNGLE

Roger Gaboury

Dans le silence de la jungle

roman

vlb éditeur

VLB ÉDITEUR
1339, avenue Lajoie
Outremont, Qc
H2V 1P6
Tél.: (514) 270.6800

Maquette de la couverture:
Mario Leclerc

Illustration de la couverture:
Ginette Bouchard, série *Témoins silencieux* (1987)

Photocomposition:
Atelier LHR

Distribution:
DIFFUSION DIMÉDIA
539, boul. Lebeau
Ville Saint-Laurent, Qc
H4N 1S2
Tél.: (514) 336.3941

Dépôt légal — 2e trimestre 1990
Bibliothèque nationale du Québec
ISBN 2-89005-399-7

Ce qui paraît normal ne l'est jamais tout à fait. Et ce qui étonne, surprend, semble inexplicable n'est souvent que la suite, la fin logique d'un ensemble de ces choses qui avaient paru d'abord n'être que des riens.

JEAN-JACQUES VAROUJEAN

Le moment viendra où personne ne te parlera plus, même les inconnus. Tu seras seul au monde avec ta voix, il n'y aura pas d'autre voix au monde que la tienne.

SAMUEL BECKETT

ÇA A COMMENCÉ PAR DES BRUITS, de tout petits bruits, très discrets, très lointains, à peine perceptibles, des bruits comme tant d'autres, des bruits familiers, quotidiens, banals même, des bruits qu'on entend pour ainsi dire souvent, tous les jours, toutes les heures, toutes les secondes, dépendant des actions, des occasions, des endroits, des moments, des bruits qu'on entend depuis toujours, depuis que le monde est monde, de la naissance à la mort, des bruits parmi tant d'autres, ni nécessairement plus beaux, ni nécessairement plus parfaits, des bruits, tout simplement des bruits, oui ça a commencé comme ça, par des bruits de pas, des pas lents, lointains, presque inaudibles, comme venus d'ailleurs, non pas menaçants, oh non! des bruits de pas qu'on entend normalement le soir en rentrant chez soi, des pas auxquels on ne porte aucune attention tellement ils font partie du quotidien, et ces pas étaient derrière moi, me suivaient, s'arrêtaient, revenaient pour me poursuivre dans cette si belle nuit d'été, ces pas incessants, ces pas semblables à tous ceux que j'avais entendus maintes et maintes fois, ces bruits de pas perdus dans la nuit étaient exactement comme tous les autres bruits de pas que j'entendais à toute heure du jour, de même rythme et aucunement différents, ils faisaient partie de la vie et de la mienne et ils se confondaient au décor et à l'atmosphère de cette nuit si chaude, ce n'étaient que des bruits, rien de plus, rien de moins, et à un certain moment ils ont attiré mon attention, mais au premier regard, au moindre coup d'œil, ils se sont tus, puis au bout de quelques instants ils sont revenus, toujours derrière moi et venant vers moi, alors que je traversais la ville comme toutes les nuits, et ces pas ne cessaient de me pourchasser, de me hanter, de m'exaspérer, de m'angoisser, alors j'ai accéléré le pas, je commençais à avoir peur, à suer, à frissonner, à trembler, je n'osais pas me retourner pour voir qui était derrière moi, et plus les pas se rapprochaient, plus j'avais hâte d'être chez moi, en toute sécurité, derrière ma porte, protégée, coupée du monde, débarrassée de ces pas, seule, en paix avec moi-même, soulagée, j'avais hâte que ces bruits cessent pour ne plus les entendre résonner dans ma tête, je ne voulais que retrouver le doux silence de la nuit, et puis, à un certain moment je me suis mise à courir, vite, de plus en plus vite, sans jamais me retourner, à courir de toutes mes forces, apeurée, affolée, à courir dans la nuit sans savoir si ces pas me poursuivaient toujours, j'espérais seulement croiser quelqu'un, une voiture, la police, n'importe qui, pour venir à mon secours, pour m'aider, mais la nuit était si tranquille et la ville comme déserte, abandonnée, sans vie, et j'ai couru, couru je ne sais trop combien de temps, puis, finalement, je suis arrivée chez moi, à bout de souffle, épuisée, haletante, vidée, les nerfs en miettes, je me suis arrêtée face à ma maison, j'ai écouté, aucun bruit, rien que le silence de la nuit, pas le moindre bruit de pas, le silence, le même silence que toutes les autres nuits, je me suis retournée, j'ai regardé tout autour, personne, rien que les voitures de chaque côté de la rue, rien d'autre, pas la moindre ombre d'une silhouette quelconque, alors j'ai sorti mes clés, j'ai ouvert la porte, j'ai regardé une dernière fois derrière moi, rien, absolument rien, personne, aucun bruit de pas, je suis entrée chez moi, j'ai fermé la porte, je me suis adossée à celle-ci, tremblante comme une feuille et toute en sueur, encore terrorisée par ce qui venait de m'arriver, j'ai fermé les yeux, je me suis calmée, puis je me suis déshabillée lentement en regardant de temps à autre dehors, et je me suis couchée, je pensais à tout ça, à ce qui s'était passé, et j'ai trouvé que malgré tout je m'en étais bien tirée, ça aurait pu être pire, que je me suis dit, mais je ne parvenais pas à trouver le sommeil, tellement cela m'avait secouée, ébranlée jusque dans le plus profond de mon être, jusqu'au cœur de mon enfance, je dramatisais peut-être, mais à un certain moment j'ai entendu des bruits de pas, les mêmes sans doute, sur le trottoir juste en face de la maison, je me suis levée sans faire de lumière et je me suis dirigée vers la fenêtre que j'avais laissée légèrement entrouverte parce qu'il faisait très chaud et que l'on manquait d'air, je suis restée là cachée dans l'obscurité derrière les rideaux, quelque peu en retrait afin de ne pas être vue, et j'ai attendu, attendu, espérant voir quelqu'un, puis les pas se sont tus, je ne voyais toujours personne, je n'entendais aucun bruit de pas, peut-être que j'avais mal entendu ou que c'était tout simplement le fruit de mon imagination, alors je me suis avancée près de la fenêtre et je l'ai fermée sans faire trop de bruit pour ne pas attirer l'attention, je me suis retirée quelque peu tout en restant non loin de la fenêtre, à attendre que quelque chose se passe, mais rien ne s'est vraiment passé, alors je suis allée m'asseoir sur le bord du lit, j'ai fumé cigarette sur cigarette, tourmentée, anxieuse, prise de panique, je me parlais à moi-même, je ne cessais de me répéter qu'il fallait rester calme et garder mon sang-froid, j'étais en sécurité, il n'y avait pas de danger, et puis s'il se passait quelque chose d'anormal et de dangereux, je n'avais qu'à appeler la police ou à aller chercher les voisins, mais je n'ai pas osé sortir de mon lit, retirée au creux de ma solitude et ensevelie par elle, de vieux souvenirs me revenaient comme des flashes, je me revoyais à cinq ans, ma poupée serrée contre ma poitrine, pleurant tout mon désespoir, et j'ai attendu comme ça toute la nuit, puis les premières lueurs du jour sont venues, la clarté s'est faite peu à peu, le soleil s'est levé sur la ville toute en flammes, alors j'ai quitté mon lit, je suis allée jusqu'à la fenêtre, j'ai regardé dehors, il faisait clair, la vie reprenait son cours, j'ai ouvert la fenêtre, c'était plein d'oiseaux dans les arbres, les bruits du jour commençaient à se faire entendre, j'avais juste envie de dormir, dormir des heures et des heures, des jours, des années, toute l'éternité s'il le fallait, tellement j'étais fatiguée, vidée de toute vie, de toute ma vie, et je suis restée encore un moment à la fenêtre à prendre de bonnes bouffées d'air frais, à respirer lentement et profondément, tout en songeant à ce qui m'était arrivé durant la nuit, à me demander si ma peur était vraiment justifiée, si dans le fond je n'avais pas exagéré quelque peu, puisqu'il ne s'était rien passé et qu'en aucun temps je ne fus vraiment menacée, que ce n'étaient que des bruits, pas autre chose que de vulgaires bruits de pas venus du fond de la nuit, des pas sans aucune signification, des pas, rien que des pas, pas autre chose que des pas, et c'est en me répétant sans cesse ceci que je me suis endormie pour ne me réveiller que douze heures plus tard, complètement perdue, je ne savais plus très bien ce qui était réellement arrivé, si j'avais fait un cauchemar ou quoi encore, puis je me suis habillée pour aller travailler à l'hôtel comme tous les soirs, et, une fois mon sale boulot terminé, j'ai eu peur, je m'imaginais que quelqu'un m'attendait à l'extérieur de l'hôtel, caché dans le noir, prêt à me suivre, à me poursuivre obstinément jusque dans mon être, à me traquer comme une bête, oui, je m'imaginais entendre encore ces bruits de pas derrière moi, je me voyais encore pourchassée, épiée, je ne voulais surtout pas revivre ce que j'avais vécu la nuit précédente, je ne voulais ni provoquer ni tenter personne, encore bien moins réveiller cette bête cachée quelque part, cette bête de la jungle qui m'attendait et qui n'espérait que m'agresser, je ne suis la proie de personne, que je me disais, je ne veux pas de problèmes, je veux seulement rentrer chez moi en toute quiétude, l'esprit tranquille, c'est tout, j'ai donc pris un taxi et, durant le trajet, je ne cessais de regarder derrière nous, aucune voiture ne nous suivait, je respirais mieux, je me disais que ce n'était dans le fond qu'une mauvaise aventure d'un soir, pas plus, qu'il fallait l'oublier, penser à autre chose, effacer de ma mémoire cet affreux souvenir, après tout ce n'étaient que des pas, pourquoi m'affoler avec des riens, en ville ce sont des choses qui arrivent, ça fait partie de la vie, ça fait partie du mauvais côté des choses, et le taxi est arrivé chez moi, j'ai payé, je suis descendue, j'avais le fou rire, pourquoi est-ce que je m'en faisais avec cette histoire? c'était ridicule, puis le taxi s'est éloigné, je me suis dirigée vers la maison, j'avais hâte d'être dans mon lit et de dormir, oui, dormir, j'étais crevée, encore un peu bouleversée par l'événement de la nuit précédente et, arrivée à la porte, j'ai sorti mes clés, puis c'est à ce moment-là que j'ai entendu un bruit, le bruit des pas, les mêmes que la veille sans doute, oui, ils étaient là derrière moi, je me suis retournée, j'ai regardé partout, cherchant à voir d'où ce bruit provenait, mais il n'y avait personne, peut-être que j'hallucinais, j'étais en effet très énervée, à moins que la personne ne soit cachée derrière les arbres, je ne sais pas, alors je me suis empressée d'ouvrir la porte, j'ai regardé une autre fois, agitée, ces pas semblaient venir vers moi, puis je suis entrée, j'ai fermé la porte, soulagée, mais vraiment dans tous mes états, je me suis précipitée vers l'ascenseur, je suis montée jusque chez moi, j'ai couru vers mon appartement, j'ai ouvert la porte, je suis entrée sans donner de la lumière, j'ai regardé dans le couloir du troisième étage, il était vide, tout était tranquille, puis j'ai refermé la porte, j'ai enlevé mes souliers et j'ai accouru à la fenêtre, j'ai regardé dehors, aucune ombre, aucune silhouette, aucune présence, vraiment personne, pas même un chien errant ou un chat de ruelle, je ne savais plus quoi faire, attendre, attendre, que je me suis dit, il n'y a vraiment rien d'autre à faire, et j'ai attendu longtemps, toujours cachée dans le noir, fumant comme une cheminée, et puis soudain le téléphone a sonné, qui était-ce? je ne voulais pas répondre, qui pouvait bien me téléphoner à cette heure-ci de la nuit? j'ai décroché le récepteur, j'ai répondu, aucune voix, aucune réponse, pas même une respiration, rien de rien au bout du fil, qu'un silence qui faisait mal, j'ai aussitôt raccroché, c'était peut-être lui, cet homme, cet inconnu, celui qui me suivait depuis hier, c'était sûrement lui, qu'est-ce qu'il voulait? je ne savais plus quoi faire, je suis retournée à la fenêtre, le jour allait bientôt se lever, puis encore cette sonnerie du téléphone résonnant jusque dans la solitude de mon enfance, mais je n'ai pas répondu, c'était encore lui, aucun doute là-dessus, c'était clair dans mon esprit, et j'ai laissé sonner, sonner, au moins dix coups, puis j'ai débranché l'appareil, j'ai pris des somnifères et un couteau de cuisine que j'ai déposé sous mon lit, je me suis couchée en me disant que demain j'appellerai la police, oui, je les appellerai sans faute et je leur dirai tout, je leur raconterai tout ce qui se passe dans les moindres détails, absolument tout, je n'oublierai rien, absolument rien, et, c'est la première chose que j'ai faite en me levant en début d'après-midi, je leur ai tout dit, les pas, les sonneries, tout ça, alors ils m'ont dit qu'ils surveilleraient ça de près, c'est peut-être un fou, un maniaque, quelqu'un qui vous veut du mal ou tout simplement vous faire peur, dans cette grande ville il y a toutes sortes de fous qui circulent librement, et c'est surtout la nuit qu'ils agissent, en plein jour ils n'osent pas se montrer le bout du nez de crainte de se faire voir et identifier, de risquer de se faire prendre, ma petite madame, quoique si vous n'avez vu personne, si vous n'avez pas d'indices, ce sera plutôt difficile pour nous de faire quelque chose, mais on va surveiller ça de près, c'est promis, on va avoir l'œil grand ouvert, qu'il a dit en riant, moi aussi, que j'ai répondu, et j'ai raccroché, la journée a passé normalement, la nuit est venue sur la ville, je suis allée travailler à l'hôtel en essayant de ne plus y penser, mais plus le temps passait, plus je me sentais nerveuse, tourmentée, agressive, j'appréhendais l'heure où il fallait que je quitte l'hôtel comme si c'était ma dernière heure à vivre, comme si c'était l'instant de vérité, mais je me suis dit, la police sera là, ils vont surveiller le quartier, il n'y a pas de crainte à y avoir, puis avant de partir, le portier de l'hôtel s'est offert de venir me reconduire chez moi, j'ai accepté sans hésitation, je lui ai expliqué ce qui m'était arrivé les deux nuits précédentes, il a dit de ne pas m'en faire, le type se lassera vite s'il s'aperçoit que je n'en fais pas de cas, il s'enfuira à toutes jambes dès qu'il verra la première voiture de police, ces gars-là sont des lâches, faut pas s'en faire, Ève, t'en as vu bien d'autres avec le métier que tu fais, ce sont des choses qui font partie de la vie, ce sont des choses qui se produisent souvent la nuit dans les grandes villes, qu'est-ce que tu veux, faut vivre avec ça, c'est malheureux, ça prend toutes sortes de monde pour faire un monde, c'est devenu pire que la jungle, qu'il m'a dit quand je suis descendue de sa voiture, puis il est resté un moment devant la porte de ma maison jusqu'à ce que je sois rentrée, il m'a envoyé la main avec un petit sourire, un chic type ce portier d'hôtel, il pleuvait beaucoup, un violent orage d'été, puis une fois à l'intérieur, il est parti, j'étais vraiment soulagée d'être arrivée chez moi, saine et sauve, je me suis fait un café, j'ai ouvert un peu la fenêtre pour aérer l'appartement, tout était tranquille dehors, rien que la foudre qui grondait et la pluie qui tombait, personne dans la rue par un temps pareil, puis j'ai vu passer devant la maison la voiture de police qui allait tout doucement, très lentement, les deux flics regardaient partout, dans tous les coins noirs, ils ont tenu promesse, que je me suis dit, je peux dormir en paix, en toute sécurité, j'ai mis mon peignoir, j'ai écouté un peu de musique, ça m'a fait du bien, puis, fatiguée, je me suis couchée et, en un rien de temps, je me suis endormie, mais vers à peu près quatre heures du matin, j'ai entendu des bruits de pas avec beaucoup d'écho dans le couloir du troisième, des pas au rythme lent qui s'approchaient de plus en plus près de moi, comme s'ils allaient m'envahir, me posséder, ces pas résonnaient dans tout mon appartement et dans ma tête, je n'ai pas osé me lever, sidérée, je ne savais pas trop comment réagir, j'ai attendu, espérant de tout mon cœur qu'ils continueraient tout droit, mais ils se sont arrêtés juste devant ma porte, puis, plus aucun bruit, rien, juste la foudre et la pluie, et au bout d'un moment on a frappé à la porte, je suis restée dans mon lit, j'avais le souffle coupé, je tremblais, je suais à grosses gouttes comme prise d'un étrange vertige, quoi faire, aller à la porte, demander qui c'est, appeler la police, ou rester bien tranquille dans ma chambre et attendre que ça cesse, et on a frappé encore, alors je me suis levée et dirigée vers la porte sur la pointe des pieds, j'ai regardé par l'œil magique, personne, pas un visage, pas une main, pas la moindre ombre, je me suis alors précipitée sur le téléphone, j'ai appelé la police, je leur ai dit ce qui se passait, et tout en parlant j'ai entendu les pas qui s'éloignaient dans le couloir, je leur ai crié, vite, faites ça vite, il s'en va, il s'en va, vite, le policier a dit qu'il envoyait immédiatement une autopatrouille surveiller ça de plus près, ne sortez pas, restez chez vous, ma petite madame, il n'y a pas de danger, on va s'en occuper, qu'il a dit, j'ai raccroché et j'ai accouru à la fenêtre, j'ai regardé en bas, j'avais de la difficulté à voir avec toute cette pluie qui tombait, mais au bout d'un moment j'ai vu une ombre, oui, c'est ça, une ombre à travers les branches d'un arbre, puis l'ombre a disparu, j'ai rien vu d'autre, ni rien entendu, puis les policiers sont arrivés, ça n'a pas pris grand temps, ils sont sortis de leur voiture, ils ont regardé partout avec leurs lampes de poche, ils sont restés là un moment, éclairant les coins sombres, puis ils sont repartis, je suis retournée dans ma chambre, j'ai pris le couteau de cuisine sous mon lit, je me suis assise à côté de la porte, j'ai attendu en fumant cigarette sur cigarette, puis le téléphone a sonné, au moins six, sept coups, je l'ai laissé sonner, sonner, ça devait être encore lui, il n'avait qu'à venir et à bien se tenir, j'étais prête à tout, plus rien ne m'arrêterait et, à la moindre occasion, je n'hésiterais pas, je défendrais ma peau, aucun doute là-dessus, mais le jour s'est levé, la pluie a cessé, les premiers rayons de soleil m'ont tiré du sommeil, c'était plein de lumière dans le living-room, je m'étais endormie sur la chaise près de la porte, le couteau de cuisine dans une main, puis je me suis frottée le visage, j'avais mal à la tête, alors j'ai pris une douche froide, l'eau m'a secouée, et j'ai pensé à tout cela, et c'est à ce moment-là que j'ai pris la sage décision de ne plus retourner travailler le soir même ni aucun autre soir, je suis restée chez moi à l'attendre, je n'osais plus sortir, incapable de dominer ma peur, elle me possédait, j'étais son esclave, et je n'avais que cette idée fixe en tête, c'est qu'il était caché quelque part, et à la moindre occasion, il me sauterait dessus, m'agresserait jusqu'à l'âme, me violerait jusqu'à mon enfance, sans aucune pitié pour ce que je suis et tout ce que j'ai souffert, oui, c'est ça, il viendrait par derrière, sans faire de bruit, il me mettrait la main sur la bouche pour m'empêcher de crier, d'appeler à l'aide, et là je passerais un mauvais quart d'heure, non, valait mieux rester dans mon appartement, et la nuit est venue, puis d'autres encore, j'ai fermé toutes les fenêtres, baissé toutes les toiles, tiré les rideaux, mais parfois la tentation était trop grande, je jetais un coup d'œil très discret dehors, en prenant beaucoup de précaution pour ne pas qu'il m'aperçoive, et la ville m'est apparue déserte, vidée de toutes ses âmes comme après une grande catastrophe où il n'y avait plus personne, que de la lumière et des ombres, l'ombre des choses, ces choses inertes, immobiles, vides, silencieuses, glacées, rien que de la pierre comme au commencement du monde, et aucune silhouette, pas un visage, pas un corps, rien, ni pas ni voix ni rires ni cris ni bruits, comme si j'étais seule au monde, seule dans cette ville sans nom, avec un vent de fin du monde qui soufflait, qui hantait les choses, les habitait, les faisait vivre par moments, et c'est comme si une fine poussière tombait d'un bout à l'autre de la ville, en dedans comme en dehors, de l'extérieur vers l'intérieur, cette ville jadis traversée, parcourue avec lassitude ou frénésie, explorée en tout sens, dont je connaissais les moindres recoins, cette ville où je suis née, où j'ai grandi, que j'aimais tant, elle avait déjà fait certains de mes futiles bonheurs d'enfant, cette ville jadis pleine de vie, me sembla alors à fuir comme la peste, anéantie jusqu'à l'os, cette ville autrefois si tranquille, si paisible, le paradis sur terre, disait-on, cette ville dont tout le monde était fier, voilà qu'elle était soudain devenue pour moi une jungle, un monde sans merci, où le silence de la mort s'était engouffré, où tout était noir, gris, sans couleur, sans lumière, et moi j'étais là, enfermée, cloîtrée, barricadée dans ma peur et dans ma souffrance, plus seule que jamais, je ressentais la mort à travers tout ce silence d'abîme, d'enfer, de folie, ce silence qui était si douloureux à vivre, sans aucun signe d'espoir nulle part et j'essayais de me rappeler comment c'était auparavant, je revoyais tous ces souvenirs de ma vie se dérouler devant moi, comme un film au ralenti, toutes ces images que j'avais oubliées avec le temps, trop accaparée par mon travail à l'hôtel, trop obsédée par une blessure venue de mes racines, une blessure que je portais en moi depuis longtemps, et parfois j'allais à la porte, j'écoutais, juste quelques bruits, rien d'autre, comme un tintement de clés, un claquement de porte, des voix d'enfant, ou encore des pas, mais pas plus, il n'y avait que mon silence à moi qui entrait partout comme un voleur, un silence accaparant, entier, unique, il était là, dans les murs, du plancher au plafond, dans chacune des pièces de mon appartement, le moindre interstice était livré à ce silence, et j'essayais de m'expliquer, de comprendre comment il se faisait que j'en étais là, tout ce qui m'était arrivé en si peu de temps, et je me questionnais aussi sur cette ville maintenant devenue jungle, autrefois il n'y avait jamais eu de conflits ni de problèmes de quelque nature que ce soit, l'harmonie, la démocratie y régnaient, cette ville était pleine de charme, accueillante, hospitalière, jolie, propre, aucun papier dans les rues, aucune marque de violence, on y vivait en toute sécurité, dans le respect et l'ordre, et l'été, elle se remplissait de touristes venus des quatre coins du monde, admiratifs, estomaqués, surpris par tant de beauté et tant de joie de vivre, l'un des plus beaux endroits pour vivre sur terre, il est si agréable de se trouver ici, qu'ils disaient, les gens sont si gentils et pleins de délicatesse, on s'y sent bien, comme chez soi, qu'ils prenaient le temps de rajouter avec un petit rire sarcastique, ici, on se sent considérés, appréciés, il y a toujours un service courtois partout où nous allons, que ce soit dans les hôtels, les restaurants, les bars, les musées, et même sur la rue, c'est vraiment une très belle ville que vous avez là, profitez-en, prenez-en grand soin, parce que dans notre ville, c'est autre chose, oh là là! c'est tout le contraire, ce n'est plus possible de sortir le soir sans se faire suivre, agresser, attaquer, violer, voler, en plus de tout le reste, les meurtres, les émeutes, le chaos, oui, c'est l'anarchie la plus totale, je pensais à tout cela, à tout ce que j'avais entendu depuis des années, et maintenant nous aussi nous en étions rendus là, je revenais en arrière, je fouillais dans ma mémoire, je creusais dans mes souvenirs, le passé se dressait devant moi, je n'arrivais pas à m'imaginer que ce fut déjà si différent, presque un autre monde, comment est-il possible que nous en soyons arrivés là, et j'ai cru comprendre que tout cela avait commencé lentement, petit à petit, graduellement, de jour en jour et surtout de nuit en nuit, par toutes sortes de petits détails qui, multipliés entre eux, avaient suffi à envenimer les choses, oui, des détails, ce n'est pas grave, disait-on, c'est pire ailleurs, c'est normal que de temps à autre il se produise de petits événements, il n'y a vraiment pas de quoi en faire un plat, mais lentement, comme un cancer, le mal a fait son bout de chemin, ça a commencé par des cadavres que l'on retrouvait le matin en pleine rue, des cadavres de femmes dans la plupart des cas, soit étranglées, soit éventrées, soit criblées de balles, oui, on en retrouvait comme ça un peu partout, dans les maisons, les parcs, les squares, les halls ou les couloirs des hôtels, les voitures et les ascenseurs, et ça augmentait de semaine en semaine, on ne retrouvait jamais les coupables, ces assassins qui s'étaient installés dans notre si belle ville, et il était pratiquement impossible de leur mettre la main au collet, ils n'agissaient que la nuit, l'obscurité était leur territoire, et malgré les plaintes les autorités tardaient à agir, à intervenir avec beaucoup d'efficacité, on se disait vraiment impuissants devant l'ampleur des choses, dépassés par les événements, personne n'arrivait à résoudre le problème, tout le monde était pris au dépourvu, personne ne s'y attendait, qu'est-ce qui se passe? tout le monde se le demandait, il faut agir au plus vite avant qu'il ne soit trop tard, on ne peut plus sortir la nuit sans risquer sa vie, on ne dort plus, cette ville est devenue un enfer, un cauchemar, et puis d'autres événements encore se sont produits par la suite, des vols par milliers, du pillage, des enlèvements, des incendies qui éclataient en pleine nuit, des femmes qui criaient, qui hurlaient jusque dans leur sang, et puis on entendait toutes sortes de bruits, pas seulement des bruits de pas, oh non, ça c'était vraiment de la petite bière, mais des explosions, des cris d'épouvante, des sirènes, des crissements de pneus, des coups de fusil, le vrai Far West, et c'est alors que le monde a paniqué, un vent de folie a soufflé sur la ville, une psychose, rien de moins, ça faisait les manchettes de tous les journaux, tout le monde s'est mis à acheter toutes sortes d'armes, des fusils, des revolvers de fort calibre, de longs couteaux, tout le monde se méfiait de tout le monde, les gens ne se parlaient plus, chacun avait l'autre à l'œil, les autorités ne savaient plus où donner de la tête, les policiers étaient dépassés, ils ont même pensé faire venir l'armée, les soldats, les tanks, les canons, les mitraillettes, tout ça, et on a imposé le couvre-feu, personne ne pouvait sortir la nuit, ça prenait des papiers d'identité pour pouvoir circuler librement, chacun était un suspect, un coupable, un criminel en puissance, puis ça s'est calmé, mais tout le monde savait pertinemment dans le fond de son cœur que ça ne serait jamais plus comme avant, et les autorités ont dit que la tempête était finie, que les assassins avaient sans doute quitté la ville, qu'ils avaient eu peur, mais personne ne savait précisément qui ils étaient, des terroristes, des psychopathes, des fous hantés par le mal ou tout simplement des illuminés, alors on a levé le couvre-feu, les gens ont repris leur train-train quotidien, on respirait mieux, mais les policiers veillaient toujours, armés jusqu'aux dents, et quelques semaines plus tard, ça a recommencé de plus belle, on retrouvait des cadavres partout, les autorités n'ont pas hésité un seul instant, elles ont fait venir l'armée, il y avait des soldats partout, c'était l'état de siège, on ne pouvait plus sortir du soir au matin, ils fouillaient toutes les maisons, tous les édifices et tous les endroits publics, on va les retrouver ces malades, répétait-on obstinément, personne n'avait plus confiance en personne, c'était devenu pire qu'avant, l'armée avait tous les pouvoirs, les soldats s'énervaient, s'agitaient, paniquaient, parfois on entendait des coups de feu et certaines nuits des rafales de mitraillettes, ça tirait à qui mieux mieux, personne ne reconnaisait plus personne, et les sirènes hurlaient jour et nuit, quand tout cela va-t-il finir, que je me demandais, je n'en pouvais plus, j'étais en train de devenir folle, ce n'était plus une ville, non, c'était la jungle, le mal était devenu contagieux, un virus, le virus de la terreur qui empoisonnait nos corps et nos âmes, puis des gens ont commencé à aller vivre ailleurs, certains édifices se vidaient, les commerçants déclaraient faillite et fermaient leurs portes, les autorités faisaient des pieds et des mains pour retenir les gens qui envahissaient les routes, personne ne voulait rester, les prêtres parlaient du diable, l'enfer ici-bas, sur terre, les ténèbres pour tous, et de jour en jour la ville s'est dépeuplée, c'était plein d'édifices et de maisons abandonnées, et moi j'étais incapable de partir, d'abandonner tous mes souvenirs d'enfant ici, je n'envisageais aucunement la possibilité d'aller dans une autre ville, et qu'y faire, que je me demandais, seule, j'étais si seule au monde, non, je voulais rester ici et, au plus profond de moi, j'espérais que tout redevienne comme avant, mais les voisins disaient que j'avais des illusions, que je risquais ma vie, je n'avais pas le choix, j'ai résisté comme tant d'autres, puis tout s'est calmé pour de bon, l'armée a quitté la ville, les autorités ont repris le contrôle de chacun et de chaque chose, des gens sont venus repeupler la ville, je suis ressortie, j'ai repris mon boulot à l'hôtel et dans d'autres lieux parce qu'à l'hôtel c'était plutôt tranquille, peu de touristes et de congrès d'hommes d'affaires, mais c'était encourageant car la vie reprenait ses ébats comme dans le bon vieux temps, tout fut oublié et enterré, on parlait de ces événements comme quelque chose de lointain, de nébuleux, pas plus, oui, c'est tout cela qui m'est revenu en tête, restitué de ma mémoire comme quelque chose d'imprégné à tout jamais dans l'inconscient, j'y pensais parce que je me disais que c'était cela qui se préparait avec le plus grand soin et le maximum d'efficacité, les assassins étaient là, avec nous, en nous, revenus pour y rester, et cette fois-ci ils ne manqueront pas leur coup, et peu à peu mes nuits furent toujours accompagnées des mêmes bruits, et ça n'arrêtait pas, ces bruits de plus en plus forts étaient en train de me rendre complètement folle, je ne pouvais plus rien faire, j'étais comme désarmée, désemparée, tout mon désespoir d'enfant me revenait d'un seul bloc, ces bruits finissaient toujours par me rejoindre, par m'atteindre dans ce que j'avais de plus fragile et de plus vulnérable, c'est pour cela que je ne pouvais lutter, et avec ces bruits, je sentais aussi l'omniprésence de cet homme qui m'avait à l'œil vingt-quatre heures sur vingt-quatre, m'épiant et hantant toutes mes nuits comme un fantôme, je ne pouvais plus y échapper, j'étais faite, prise au piège, projetée dans une toile d'araignée, oui, oui, je savais qu'il était là, qu'il attendait que je ne fasse qu'un seul faux pas, et là il se précipiterait sur moi comme une bête sauvage sur sa proie, c'est pourquoi je passais la plupart du temps à la porte et aux fenêtres, il était sans doute en bas, dans sa voiture ou caché derrière un arbre, il était là dans le va-et-vient des passants, dans cette foule anonyme qui ne cessait de défiler à longueur de journée devant ma maison, et moi je l'attendais dans cet univers de bruits, j'étais de plus en plus confuse et de moins en moins organisée, tout s'entremêlait dans ma tête, je ne savais plus faire la différence entre ce qui est réel et ce qui ne l'est pas, le passé et le présent se confondaient, l'angoisse montait en moi et me noyait, je suffoquais, j'étouffais comme si tous les murs se rapprochaient de moi de plus en plus chaque jour, l'étau se resserrait sur moi, c'est à peine si je me reconnaissais dans le miroir, j'étais devenue une autre personne, et chaque fois que je me regardais, mon propre visage me fuyait, se défaisait morceau après morceau, je dépérissais physiquement et psychologiquement, j'étais à la dérive, de plus en plus seule, déchirée, c'est à peine si je mangeais, je buvais jusqu'à ce que je sois complètement soûle, alors là je pouvais dormir un peu, puis les bruits revenaient, ces bruits de pas, ces coups de sonnerie, ces cognements dans la porte, ils venaient de partout, de la rue, du couloir, des autres appartements, et ces bruits sous-entendaient que cet homme, cet inconnu, faisait toujours le guet, c'est peut-être pour cette raison que j'avais de plus en plus de peine à bouger, comme si soudain j'étais paralysée, figée, statufiée, et un certain matin, alors que la ville était enveloppée d'un épais brouillard, j'ai songé sérieusement à partir à tout jamais, à quitter pour de bon cette ville damnée et condamnée, à m'en aller le plus loin possible, pour recommencer à neuf, pour tout oublier comme si rien de tout cela n'avait jamais existé, et une nuit, j'ai réussi tant bien que mal à faire ma valise, je me suis habillée, et comme j'allais ouvrir la porte, j'ai entendu des bruits de pas dans le couloir, j'ai aussitôt claqué la porte, j'ai reculé jusqu'au mur, glissant contre celui-ci, me recroquevillant, repliée sur mon enfance, et on a frappé plusieurs fois, alors je me suis mise à crier très fort, à hurler toute ma douleur, puis les pas se sont éloignés, j'ai alors téléphoné à la police, ils m'ont répété la même chanson comme si c'eût été un message enregistré, je n'en pouvais plus, alors j'ai fouillé partout dans la maison pour finalement trouver le revolver de maman, et tout en mettant six cartouches dans le barillet, je me suis demandé comment il se faisait que j'en étais arrivée là, si bas, une épave, les bas-fonds de toute l'humanité en moi, pas plus qu'un trou d'égout, une loque humaine, rien de plus, rien de moins, au bord du désespoir, en chute libre dans le gouffre de la folie, ce n'est pas moi, que je me répétais, non, non, c'est quelqu'un d'autre, et j'ai marché à quatre pattes jusqu'à la fenêtre, le revolver dans une main, je me suis adossée au mur et pendant un moment j'ai vraiment espéré que ça se calme, que ce cauchemar prenne fin une fois pour toutes, rien à faire, alors j'ai regardé longuement le revolver, j'ai ouvert toute grande la fenêtre, j'ai vu une ombre qui se déplaçait, je l'ai reconnu, c'était lui, en plein dans mon champ de tir, et j'ai tiré partout, sur tout ce qui bougeait, j'étais devenue folle, hystérique, fallait que j'agisse, que je fasse quelque chose, car je n'avais plus le choix, cela était l'évidence même, ça ne pouvait plus durer, et à chaque coup de feu c'était plein de lumières qui s'allumaient partout, en particulier dans les maisons d'en face, puis après avoir tiré je me suis débarrassée du revolver, je me suis assise par terre, dans un coin, je riais, je pleurais, et au bout d'un moment, je ne me souviens plus combien de temps, peut-être quinze minutes, une demi-heure, une heure, comme si j'avais perdu toute notion du temps, j'ai entendu des sirènes dans la nuit, et il y a eu comme un flashe dans ma tête, j'ai soudain pensé à maman, ça m'a fait très mal en dedans, très profondément au creux de mon enfance, et plus ça hurlait dehors, plus ça hurlait aussi dans ma tête, ma petite tête d'enfant, et j'ai entendu d'autres bruits, des crissements de pneus, des claquements de portières, des cris, je ne savais plus très bien ce qui se passait, ni dehors ni en moi-même, chose certaine, il y avait beaucoup d'agitation dans l'air, on aurait dit l'affolement, je me suis traînée à genoux jusqu'à la fenêtre, je me suis redressée et j'ai regardé dehors, mais sans me montrer complètement, juste les yeux, pas plus, et c'est comme si ce n'était plus la réalité qui s'étalait en pleine nuit devant moi, c'était exactement comme au cinéma, comme dans les milliers de films que j'avais vus, j'ai même pensé un instant que c'était peut-être un film que l'on tournait, c'était plein de voitures de police, plein de lumières rouges qui clignotaient, il y avait du monde plein la rue, sur les trottoirs, ou caché ici et là derrière les arbres, les voitures, les murs, les haies, tout ce monde avait les yeux fixés sur ma fenêtre, j'étais devenue le centre d'attraction de la rue, cela m'a fait rire, qu'est-ce qui m'arrive? la maison est cernée de toutes parts, qu'est-ce que j'ai fait? ma vie est fixée au piège, c'est alors que je me suis dit que peut-être on venait enfin de capturer l'homme, cet inconnu qui n'arrêtait pas de me suivre depuis que je suis enfant, oui, ils lui ont mis la main au collet, je suis enfin libérée de lui, il est à tout jamais sorti de mes nuits et de mes rêves, et cela m'a soulagée, mais pas pour longtemps, je suis allée à ma chambre en rampant sur le plancher, me dirigeant ensuite jusqu'à la garde-robe, toute seule dans mon petit coin noir comme au fond de ma nuit, mais je ne sais plus très bien ce qui s'est passé par la suite, ça s'est embrouillé dans ma tête, j'avais des étourdissements et un peu de fièvre, la seule chose dont je me rappelle, c'est qu'à un certain moment je manquais d'air, j'étouffais, il y avait de fortes odeurs de gaz, sans doute des gaz lacrymogènes, une fumée venue de je ne sais où entrait dans ma chambre, alors j'ai fermé la porte de la garde-robe, mais la fumée a quand même réussi à s'infiltrer par les interstices, je ne savais plus du tout où j'en étais, on aurait dit dans un autre monde, oui, c'est ça, dans un monde étrange, j'essayais tant bien que mal de respirer, mais ma respiration était de plus en plus difficile, je n'avais plus de souffle, plus de voix, plus rien, je haletais, je toussotais, mais en même temps je vivais intérieurement quelque chose d'unique, un moment de bonheur si intense, une sensation de bien-être innommable m'habitait, corps et âme confondus, soudés ensemble, le noir et le blanc ne faisant qu'un, je me sentais si bien, délivrée de tout ce qui m'enchaînait, oh quel silence! partout, dans l'esprit et la matière, tout se calmait dans ma tête et autour de moi, les bruits s'en allaient tout doucement, très lentement, un à un, comme les feuilles qui à l'automne se détachent des arbres, tout était au ralenti, j'avais l'impression de flotter, quelle douceur, c'était si calme, si silencieux, tout ce silence à moi, rien qu'à moi, à personne d'autre que moi, j'ai fermé les yeux, j'ai tout oublié, il y a eu un gros trou noir, et quand j'ai repris conscience, j'étais étendue sur un lit, quelque part, je ne faisais que délirer, je criais, je tremblais, j'avais froid, j'appelais à l'aide, puis soudain plus rien, le noir total, mais quand j'ai réouvert les yeux pour de bon, je me suis rendu compte que j'étais dans une cellule, alors j'ai paniqué, je me suis mise à hurler comme une déchaînée, je ne faisais que crier de me laisser sortir, mais deux policiers sont arrivés et ils m'ont dit de la fermer, j'étais si furieuse que je leur ai craché au visage, ils ont ouvert la porte de la cellule, ils m'ont ruée de coups, surtout au visage, j'ai essayé de leur résister du mieux que j'ai pu, mais ils étaient trop forts, ils me faisaient mal, je pleurais comme je n'ai jamais pleuré de ma vie, alors les policiers sont partis en me traitant de toutes sortes de noms et l'un d'eux m'a craché plusieurs fois dessus, je me suis retrouvée seule, je sanglotais, ça n'arrêtait pas de sortir, et à un moment, j'étais si folle de rage, si désespérée, que je me suis mordue jusqu'au sang, puis je ne me souviens plus très bien de ce qui s'est passé par la suite, j'ai dû m'endormir, épuisée, complètement vidée par tout ce que j'avais sur le cœur depuis mon enfance, et un certain temps s'est écoulé après ma crise de larmes, je me suis réveillée, et j'ai pensé à maman, j'ai pensé à nous deux séparées à tout jamais, cela m'a rendue triste, j'ai chialé encore un peu, je me suis mise à sucer avidement mon pouce comme quand j'étais petite, cela m'a soulagée, je me suis endormie et quand je me suis réveillée, j'ai vu une femme assise sur mon lit, à mes pieds, j'ai sursauté, j'ai eu peur, elle a mis sa main sur ma jambe en me souriant comme si elle voulait me rassurer, elle m'a dit de ne rien craindre, qu'elle ne me voulait que du bien, qu'elle s'appelait Catherine et qu'elle était psychiatre, mais j'étais très méfiante, je ne faisais que la regarder sans rien dire, j'ai été au moins une grosse demi-heure sans parler, comme si j'en étais incapable, elle non plus ne disait rien, elle me regardait par moments ou fixait le mur devant elle, puis je lui ai dit que je ne voulais pas le tuer, c'était la première fois que je tuais quelqu'un, de toute ma vie je n'ai jamais fait de mal à qui que ce soit, mais là ça avait été plus fort que moi, mettez-vous à ma place que je lui ai crié, je n'avais vraiment pas d'autre choix, il fallait que je le fasse, je voulais tout simplement que ça cesse, ces bruits, ces pas, ces coups de sonnerie, ces cognements dans la porte, je n'étais plus capable de les entendre, j'avais peur de cet homme, j'avais peur qu'il me fasse mal, je ne voulais pas qu'il m'arrive la même chose qui est arrivée à ma mère, puis je me suis levée, dans tous mes états, je faisais les cent pas dans la cellule en frappant sur le mur et en criant, je me suis approchée de la psychiatre, je lui ai dit, écoutez, j'ai agi en légitime défense, qu'est-ce que vous auriez fait à ma place, il était toujours là à me suivre partout où j'allais, à me guetter, à me harceler sans arrêt, toujours caché dans le noir, derrière un arbre, un mur ou des autos, quand ce n'était pas dans le couloir, en plus de m'appeler la nuit, de venir frapper à ma porte, vous savez comment c'est, quand ils trouvent quelqu'un à leur goût, ils s'acharnent dessus comme si c'était une proie, ils ne lâchent pas prise jusqu'à ce qu'ils en viennent à bout, de vrais obsédés, vous connaissez le genre de bonhomme, un malade, un maniaque sexuel, un fou dangereux, une bête, oui, c'est ça, une bête sauvage sortie tout droit du fond de la jungle, et c'est pour ça que je l'ai tué, parce que je n'étais plus capable de vivre avec ça sur la conscience, il fallait que ça sorte, que je me délivre de ce cauchemar, mais ce n'était pas à moi de le faire, que voulez-vous, j'étais laissée seule à moi-même, seule pour me défendre, personne pour me protéger, c'était à la police d'agir, de faire quelque chose pour moi, et qu'est-ce qu'ils ont fait, rien, ils préfèrent draguer les filles ou jouer aux cartes bien au chaud plutôt que de courir après un maniaque, un maudit fou, la police, je les connais, hé! j'ai souvent eu affaire à eux dans le passé, si je ne l'avais pas fait, qui l'aurait fait, il aurait tué combien d'enfants, combien de femmes, en plus de les violer? en tout cas, moi, je vais lui dire au juge, je vais lui raconter tout ce qui s'est passé et je vais lui dire aussi que la police n'a pas voulu m'aider, ah oui! garanti que je vais lui dire toute la vérité, sur ce qui s'est réellement passé, et là je ne sais pas pourquoi, je me suis mise à rire très nerveusement, hé! attention, quand je vais commencer à parler, je vais aller jusqu'au bout, je vais le vider mon sac, c'est rendu qu'il faut défendre sa peau toute seule, je connais bien cette race, tous des pareils, pervertis jusqu'à l'os, j'ai trop d'expérience, je sais de quoi je parle, et on est livrées à eux comme de pauvres petites bêtes sans défense, mais comme la psychiatre ne disait rien, je me suis arrêtée face à elle, je l'ai regardée droit dans les yeux, fixement, longuement, je lui ai dit qu'elle n'avait pas l'air de me croire, qu'elle pensait sûrement que j'avais tout inventé, que c'est mon imagination qui avait fabriqué tout ça, non, non, non, que je lui ai crié, c'est la réalité, la maudite chienne de réalité, ça ne se passait pas dans ma tête, ça se passait dehors, dans la rue, dans le couloir, dans mon appartement, partout, il n'y avait que ça, ah! je vous vois venir, je sais ce que vous pensez de moi, vous croyez vous aussi que ces bruits n'existent que dans mon imagination, que j'ai de sérieux problèmes, que ça ne se passe uniquement qu'entre mes deux oreilles, nulle part ailleurs, dites-le, c'est ça, hein? et il y a eu un long silence, la psychiatre m'a regardée fixement à son tour, elle m'a dit, non, Ève, je te crois, je suis convaincue que ce que tu dis est vrai, et cela m'a comme secouée, déséquilibrée, je suis restée saisie, bouche bée, désarmée, dépourvue, que répondre à ça? j'ai reculé jusqu'au mur, et la psychiatre m'a dit que je n'avais tué personne, que j'avais tiré six coups de feu, mais que personne n'avait été atteint, seulement de la peur, de la panique, rien de grave, fort heureusement, qu'elle a pris soin de rajouter, et moi j'étais là, adossée au mur, tout se bousculait dans ma tête, je revoyais la scène, je me revoyais en haut et lui en bas, et j'ai dit à la psychiatre, écoutez, je ne suis pas folle, j'avais le revolver dans les mains et quand j'ai ouvert la fenêtre, je l'ai aperçu en bas, oui, oui, j'ai vu son ombre, et quand il est sorti de sa cachette, j'ai tiré, tiré, tiré, et je l'ai vu tomber entre deux autos, mort sur le coup, atteint en plein cœur, et la psychiatre a dit en secouant la tête que personne n'était mort, je me suis avancée vers elle et j'ai encore crié, comment ça, je ne l'ai pas tué, c'est quasiment impossible, c'est un coup monté, écoutez, j'étais là, bon, je m'en souviens, j'ai rien oublié, j'étais en haut avec mon revolver et je l'ai vu de mes yeux vu, mais je me suis arrêtée de parler un moment, j'étais abattue, je me suis cachée la figure dans les mains, la psychiatre s'est levée pour me demander si je croyais vraiment avoir tué quelqu'un, et j'ai hurlé, assez, assez, assez, je ne savais plus où donner de la tête, j'ai fait nerveusement les cent pas devant elle, j'étouffais, confrontée au mur, aux barreaux derrière moi et à mon passé, et au bout d'un moment je me suis ressaisie, je lui ai demandé, s'il n'est pas mort, est-ce qu'ils l'ont au moins arrêté? non, pas encore, qu'elle a dit, la police n'a pas assez d'indices, et je lui ai répondu, hors de moi, mais comment voulez-vous que je leur en donne des indices, il se cachait tout le temps, oui, c'est ça, que je répétais sans cesse, il a réussi à s'en sortir encore une fois, et je lui ai dit aussi à la psychiatre, s'il n'est pas mort, ça veut dire aussi qu'il est toujours là, caché dans le noir, et qu'il m'attend, qu'il attend juste que je sorte d'ici, et il va me suivre partout, jusque chez moi, jusqu'à l'hôtel, il va toujours être dans mon ombre, puis quand il va avoir sa chance, il va me tuer, et c'est à ce moment-là que j'ai entendu des pas dans le couloir des cellules, et j'ai dit, chut, écoutez, vous avez entendu, il est là-bas, au loin, je reconnais son pas, très pesant, lourd, toujours le même rythme, bang! bang! bang! jusque dans mon cœur, jusque dans mon âme, comme ça, sans arrêt, marchant vers moi depuis longtemps, depuis que je suis enfant, chut, écoutez, vous les entendez? entendez quoi? qu'elle a dit la psychiatre, et j'ai crié très fort, les pas, ils reviennent, oui, les pas dans ma tête, ça revient, je les entends, ces maudits pas, si je pouvais m'en débarrasser une fois pour toutes, j'ai été prise avec ça toute ma vie, j'en ai assez, j'ai encore demandé à la psychiatre si elle les entendait, elle a dit non, il n'y a que toi et moi, personne d'autre, il n'y a que ta voix, il n'y a que ma voix, c'est tout, et j'ai hurlé, je ne suis pas folle, ils sont encore là comme quand j'étais petite, ils reviennent comme ça, je ne sais jamais quand, et soudain j'ai eu si peur, une peur terrible, intense, dévastatrice, je ne savais plus quoi faire, où aller, je me suis éloignée de la porte de la cellule, je me suis assise par terre, dans un coin, je suis restée là tout en fixant le couloir, la psychiatre m'a dit, pas besoin d'avoir peur, je suis là, Ève, je suis avec toi, près de toi, et j'ai juste dit, je veux sortir d'ici, j'en ai assez, ça n'arrête pas, ces maudits bruits, puis je me suis bouché les oreilles, mais je les entendais toujours, ils étaient si forts qu'ils entraient en moi, c'est lui, que j'ai crié, il est là, oui, c'est ça, il est là, derrière cette porte, et il va entrer, et la psychiatre a dit qu'elle n'entendait rien, absolument rien, et je lui ai dit que ce n'était qu'une conne bouchée de partout, d'en haut comme d'en bas, puis soudain les pas se sont arrêtés devant la porte, et quelqu'un a frappé, oui, c'était lui, il avait réussi à me retrouver, et comment lui échapper, comment m'enfuir de cette maudite cellule, sans aucune fenêtre, juste cette porte, j'étais devenue affolée, terrorisée, et j'ai crié que je voulais juste sortir de ce trou dans lequel je m'enfonçais, vous voulez qu'il me tue? que j'ai demandé à la psychiatre, vous êtes de son côté, avec lui, tous contre moi, et on a frappé encore, on a secoué violemment la porte, et j'ai supplié la psychiatre d'appeler la police, et elle m'a dit que ça ne servirait à rien parce qu'il n'y avait personne derrière la porte, j'ai alors crié plusieurs fois, à l'aide, au secours, venez m'aider, on veut me tuer, et la psychiatre est venue vers moi, elle s'est penchée et elle m'a juste demandé comme ça, tu veux que je fasse quelque chose pour toi, d'accord, viens avec moi, on va l'ouvrir ensemble cette porte, et elle m'a tendue sa main, que j'ai regardée fixement, attentivement, dans les moindres détails, et ça m'a fait quelque chose, j'ai eu presque envie de brailler, comme si pour la première fois de ma vie quelqu'un me tendait la main, et, au bout d'un moment, j'ai hoché la tête en disant tout doucement que je ne voulais pas qu'elle l'ouvre cette porte, c'est trop dangereux, il va nous sauter dessus, alors la psychiatre s'est redressée puis elle s'est dirigée vers la porte en disant qu'elle était capable de l'ouvrir toute seule, je l'ai suppliée encore une fois de ne pas l'ouvrir, faites jamais ça, cet homme va vous faire mal, il est très fort, et fou, très fou, un monstre sorti tout droit de la jungle, un monstre comme on en n'a jamais vu, et la psychiatre s'est arrêtée juste devant la porte, elle s'est retournée vers moi pour me demander, comment il est ce monstre? qu'est-ce qu'il a l'air? tu peux me le décrire? et j'ai hésité avant de parler, je ne m'attendais pas à cette question, qu'est-ce qu'elle va chercher là, que je me suis dit, puis j'ai fait un tout petit tour dans ma mémoire pour essayer tant bien que mal de le revoir, de le retrouver dans les ténèbres de mon enfance, mais il y avait un peu de brouillard dans ma tête, et soudain il m'est apparu, sortant de l'obscurité, et j'ai dit qu'il était grand et gros, avec des mains poilues et des griffes, de grands yeux noirs, un nez aplati et plein de longs poils dans la face, et quand il ouvre la gueule, on peut apercevoir de longues dents pointues, de vrais couteaux, puis il a une grosse tête avec une espèce de crinière jaune, et la psychiatre m'a demandé après avoir réfléchi à tout ça, comme ça, Ève, tu l'as déjà vu, et j'ai dit, oui, mais juste une fois, il y a très très longtemps, quand j'étais une toute petite fille, pas plus haute que trois pommes, et soudain j'ai entendu les pas qui s'éloignaient dans le couloir, j'ai dit, écoutez, il s'en va, mais il va revenir, ah oui, pour ça, aucun doute là-dessus, ça va lui faire un grand plaisir de revenir me hanter, et la psychiatre m'a demandé si je lui donnais la permission d'ouvrir la porte, j'aimerais voir de quoi il a l'air, tu comprends, Ève, la police a besoin d'indices, non, non, faut pas, je vous en prie, ne faites pas ça, il est rapide, il va revenir en courant, il va se précipiter sur nous et nous dévorer dans le temps de le dire, je n'ai pas peur, qu'elle a dit, et puis nous sommes deux, à deux, il ne peut rien nous arriver, nous sommes capables de nous défendre, je vous préviens, que je lui ai lancé en la menaçant du doigt, si jamais il vous arrivait quelque chose, ce ne sera pas de ma faute, j'y serai pour rien là-dedans, c'est votre décision, pas la mienne, je me dégage de toute responsabilité dans cette histoire, et la psychiatre a ouvert toute grande la porte, alors je me suis énervée, j'ai rampé jusqu'au lit, je me suis cachée dessous, toute recroquevillée, la peur me possédant encore une fois, mais j'avais toujours un œil sur la psychiatre pour voir ce qu'elle ferait, et comme ça, sans même hésiter une seconde, elle est sortie de la cellule, elle est allée jusque dans le couloir, elle ne semblait pas avoir peur du tout, vraiment une femme très brave, que j'ai pensé, je l'enviais, et je me suis mise à rêver qu'un jour peut-être je serais aussi forte qu'elle, et elle est restée plantée là au milieu du couloir, je ne voyais que ses deux pieds, et puis il est encore là? que je lui ai demandé, et elle m'a répondu, comme si de rien n'était, pas énervée pour cinq sous, non, Ève, il n'y a personne, alors je lui ai crié de regarder comme il le faut, au cas où, et elle a dit que le couloir était vide, je lui ai aussitôt dit de faire bien attention, il doit être caché, et quand l'occasion va s'y prêter, il va vous tuer et moi avec, surtout moi, et la psychiatre a eu un petit rire, puis elle a dit, viens voir par toi-même, et cela m'a comme choquée, je lui ai crié, regardez donc comme il le faut, des deux côtés, et elle m'a dit, il n'y a aucun danger, tu peux venir, je t'attends, vous n'avez pas peur? que je lui ai demandé, peur de quoi? peur de qui? qu'elle a dit, alors je suis sortie de ma cachette, j'étais très méfiante, mais j'avais un petit peu, je dis bien un petit peu moins peur, je me suis levée, la psychiatre était là devant moi, dans le couloir, elle m'a regardée, puis il y a quelque chose de très étrange qui s'est passé entre nous deux, quelque chose d'unique et de magique, cela doit arriver une ou deux fois dans une vie, pas plus, elle m'a souri longuement, et son sourire m'a fait vraiment chaud au cœur, tellement de bien, c'est incroyable, ça ne m'était arrivé que très rarement de ressentir une telle joie, un tel bonheur, quelque chose de très lumineux, de très chaud, quel sourire, que je me suis dit, j'en ai frissonné, j'étais comme paralysée, ébranlée jusque dans mes cinq ans, j'ai pensé, oui, elle a peut-être raison, il a eu le temps de s'enfuir, parce que je n'entendais rien, aucun bruit de pas, rien du tout, juste un si beau, un si grand silence, quelque chose de vraiment très spécial, comme venu du ciel ou d'ailleurs, peut-être du plus profond de moi-même, je me suis avancée lentement vers la porte, et juste avant de mettre les pieds dans le couloir, je me suis étirée le cou, j'ai regardé des deux côtés, tu vois, qu'elle a dit, la psychiatre, il n'y a ni rien ni personne, qu'est-ce que je t'avais dit, je ne savais ni quoi faire ni quoi dire, j'ai regardé encore une fois, à droite, à gauche, rien, tu vois, Ève, que la psychiatre m'a dit tout doucement, tendrement, de sa plus belle voix, c'est calme, il n'y a que du silence, tout ce silence uniquement pour toi, et j'ai senti des larmes monter à mes yeux, couler lentement sur mes joues, j'avais la vue tout embrouillée, alors je lui ai souri à mon tour, puis je suis sortie de la cellule pour me précipiter dans les bras de la psychiatre, j'ai pleuré sur elle, en elle, en la serrant très fort, comme si je voulais me souder à elle, et cela a duré un moment, j'entendais même battre son cœur, je respirais sa chair, son parfum, son haleine, tout ça, et mon intuition me dit qu'elle avait sans doute le cœur gros, prêt à jaillir, à exploser d'une seconde à l'autre, pour moi ou à cause de moi, et que ça prendrait pas grand-chose, un rien, pour qu'elle n'éclate en sanglots dans mes bras, et elle ne cessait de me passer sa main dans le dos, cette main qu'elle m'avait tendue quelques instants plus tôt, et cette main seule, chaude, douce et accueillante, suffisait à apaiser ma douleur, et nous sommes restées là enlacées encore un moment, j'avais ma tête appuyée contre son épaule, je ne pleurais plus, je reniflais à peine, j'aurais aimé m'endormir là, sur cette épaule qui était assez forte pour supporter toute la souffrance du monde, puis après, toutes sortes de choses se sont passées, nous avons quitté la cellule pour un bureau, puis encore un autre, et la psychiatre a parlé avec des policiers, elle a rempli des papiers, moi je l'attendais, j'avais l'air d'un chien battu, tout le monde me dévisageait, mais je n'avais même plus assez de force en moi pour les haïr, puis on m'a amenée, escortée par deux policiers, la psychiatre est venue nous rejoindre, on a pris une voiture fantôme, on a traversé la ville, je ne disais rien, je ne faisais que regarder le paysage, c'est-à-dire toutes ces choses et ces êtres parfois inertes, parfois animés, je me revoyais dans cette ville comme si elle faisait partie de moi, qu'elle était en quelque sorte le prolongement de ma vie, et mon enfance m'est revenue, je me revoyais courir sur les trottoirs et dans les rues, seule ou avec d'autres, mais la plupart du temps seule, déjà séparée du monde, et ces souvenirs s'en allaient comme de vieilles photos jaunies, usées par le temps, mais aussitôt remplacées par d'autres, et nous sommes finalement arrivés à l'hôpital, un endroit très bien, avec plein d'arbres, du gazon partout et un jardin, tout me semblait vert à l'infini, avec le ciel bleu juste au-dessus et quelques petits tampons de ouate par-ci par-là, et cela m'a fait rêver un instant, je n'ai pensé à rien d'autre qu'à ces deux couleurs confondues, je me voyais me perdre en elles pour découvrir un autre monde autrement différent de celui-ci, puis la voiture s'est arrêtée, nous sommes descendus, les deux policiers sont venus nous reconduire jusqu'à la réception, ils sont restés là un moment jusqu'à ce qu'un homme tout vêtu de blanc, sans doute un médecin, avec toute la bonté et la beauté du monde dans son regard, vienne leur parler, puis les policiers sont repartis, l'homme en blanc a discuté un moment avec la psychiatre, je ne pouvais comprendre ce qu'ils disaient, ils chuchotaient des choses en me regardant parfois, ils parlaient sûrement de moi, de mon cas, la psychiatre est venue me retrouver et elle m'a dit de m'asseoir, ce que j'ai fait, et j'ai remarqué qu'un infirmier dans un coin m'avait à l'œil, peut-être qu'il craignait que je prenne la clé des champs, mais non, j'avais ni l'intention ni le désir d'être ailleurs, surtout pas chez moi, dans cette maison hantée, avec lui caché en bas, oh non! que je me suis dit, jamais plus je ne retournerai là-bas, je veux juste rester ici, je m'y sens déjà bien, en toute sécurité, en paix avec moi-même, c'est calme, aéré, puis j'ai commencé à en perdre quelques bouts, je me souviens qu'on a changé de place, on est allées dans un bureau, la psychiatre m'a remis deux petites pilules, des tranquillisants ou des somnifères, je me suis sentie partir, je me suis réveillée quelque part dans une chambre toute blanche, dehors c'était la nuit, j'étais tout engourdie, légère comme une plume d'oie ou je ne sais trop quoi, et juste à cette pensée cela m'a fait rire, oui, si légère, qu'un petit coup de vent aurait suffi à me faire tournoyer dans le ciel étoilé, je me suis endormie avec cette idée en tête, cette image plutôt d'une plume d'oie dans le ciel, et le temps a passé, je ne faisais rien d'autre que dormir, je ne savais plus ce que signifiait le temps, des dates, rien de plus, j'étais comme en dehors du temps, projetée dans une autre dimension, un univers qui n'avait plus rien à voir avec la réalité, où tout me paraissait lent et flou, j'étais pour la première fois de ma vie confrontée à moi-même, piégée par quelque chose ou quelqu'un, peut-être moi-même, ou mon âme double, si cela existe évidemment, je ne faisais que penser au désert, cela revenait souvent dans mes rêves ou dans mes pensées, une idée fixe, une obsession, oui, le grand désert, immense, infini, incommensurable, je me voyais marcher à travers ce désert, sans but précis, errant tout simplement dans la poussière, le vent et la lumière, et cette image de soi dans cet espace blond était de plus en plus agréable, puis un matin on m'a dit que j'allais beaucoup mieux, qu'il me fallait envisager à présent faire face à la musique, c'est-à-dire à mon procès, et cela m'a fait frissonner de peur, l'angoisse est revenue au galop, j'étais en état de choc, j'ai eu même l'idée de me balancer par la fenêtre de ma chambre et d'en finir une fois pour toutes, puis la nuit suivante il s'est passé toutes sortes de choses, de sorte que le lendemain matin ma psychiatre est venue me retrouver dans ma chambre, j'étais encore sous l'effet des médicaments, nous sommes montées dans son bureau et, de sa fenêtre, on avait une belle vue d'ensemble, tout d'abord sur le jardin, les fleurs, les arbres et, à l'horizon, toute la ville, cette ville que je connaissais tant pour en avoir arpenté à peu près toutes les rues depuis l'enfance, et je suis restée à la fenêtre à regarder le paysage, ma psychiatre était assise et fumait une cigarette, elle ne disait rien, moi non plus d'ailleurs, soudain toutes sortes de pensées négatives ont commencé à m'envahir, je me suis mise à faire nerveusement les cent pas, angoissée, dans tous mes états, me frottant les mains, jouant parfois avec la ceinture de mon peignoir ou avec une mèche de mes cheveux, répétant sans cesse que j'étais certaine de l'avoir tué, que je ne pouvais croire que j'avais manqué mon coup, et ma psychiatre m'a demandé pourquoi je tenais tant à le tuer, et je lui ai dit, mettez-vous à ma place, ça fait des années qu'il me suit, qu'il me poursuit sans arrêt jusque dans mes rêves, et ma psychiatre m'a demandé à brûle-pourpoint ce que ça aurait changé si je l'avais tué, je lui ai crié, qu'est-ce que ça aurait changé? mais ça aurait tout changé, complètement tout, d'un bout à l'autre, mais là je ne suis pas plus avancée qu'avant, encore au même point, il est toujours là, dans la ville, à suivre peut-être d'autres femmes, ce seront elles ses prochaines victimes, et qui sait, peut-être qu'il va venir assister à mon procès, surtout si c'est annoncé dans les journaux, il va être au premier rang, ah, je le connais trop, un vrai obsédé, pourri jusqu'à la moelle, la société en est pleine de ces psychopathes toujours en liberté, tandis que si je l'avais tué, j'aurais enfin la paix, débarrassée de lui à tout jamais, ça m'aurait tellement soulagée d'apprendre sa mort, et je me suis arrêtée près de la fenêtre, j'étais plus calme, le vent a soufflé doucement sur mon visage, j'ai fermé les yeux, je me sentais bien, je me suis encore vue marchant dans le désert, marchant vers la lumière, complètement nue et libre, puis ma psychiatre m'a dit que lorsqu'elle est arrivée à l'hôpital ce matin, on lui avait fait part du fait que je n'avais pas passé une bonne nuit, qu'il y avait eu un peu d'agitation, et je lui ai dit que si je n'avais pas dormi c'est parce que j'avais eu peur qu'il revienne et que je l'avais attendu presque toute la nuit, assise sur le bord du lit, et des fois, je me levais, j'allais à la porte et j'écoutais, mais pas un bruit, rien, alors je retournais m'asseoir, j'attendais, puis comme il ne se passait rien, je me suis couchée pour de bon, et à un certain moment, au moment où j'allais m'assoupir, j'ai entendu des pas dans le couloir, ses pas à lui, à personne d'autre que lui, venant vers moi, je me suis levée, je suis allée jusqu'à la porte et j'ai écouté, il s'approchait de plus en plus de ma chambre, ses pas s'enfonçaient partout dans ma tête et dans ma chambre, bang! bang! bang! très fort, comme s'ils étaient amplifiés, j'ai reculé, l'homme s'est arrêté devant la porte, puis il a frappé comme un fou, je ne savais plus quoi faire, alors, peut-être pour la première fois, j'ai pris mon courage à deux mains, quand j'y pense, je n'en reviens pas encore, et je me suis précipitée sur la porte et j'ai frappé dessus en criant, assez, assez, assez, vous avez compris, et je suis restée là, l'oreille collée contre la porte, épuisée, haletante, j'ai frappé encore, mais avec moins de force, j'en peux plus, que j'ai dit, allez-vous-en, je vous en supplie, pour l'amour du ciel, foutez-moi la paix, sinon je leur dis qui vous êtes et ils vont vous enfermer à vie dans une cage, puis ça s'est calmé, je n'ai plus rien entendu, alors ma psychiatre s'est levée et elle est venue me retrouver, elle m'a demandé ce qui s'était passé après, je lui ai dit que je m'en souvenais plus, elle m'a dit, il n'y a pas quelqu'un qui est venu te voir, alors j'ai essayé de me rappeler, je revoyais la scène, puis ça m'est revenu, et j'ai dit à ma psychiatre, une madame infirmière a ouvert lentement la porte de ma chambre, moi j'étais assise par terre, dans un coin, je pleurais, et la gentille madame est venue vers moi, elle s'est penchée et elle m'a passé tout doucement la main dans les cheveux, elle m'a flattée, c'est vraiment une très belle dame avec ses longs cheveux blonds et dorés comme du blé au vent et ses grands yeux bleus, elle avait autour des yeux plein de petites étoiles turquoises, mauves, argentées, sa peau était rose, chaude et douce, exactement comme la vôtre, que j'ai dit à ma psychiatre, et elle a ri, puis elle avait une longue robe de soie blanche qui scintillait comme si elle était brodée de diamants, et elle t'a flattée? que m'a demandé ma psychiatre, j'ai dit oui, vous voulez que je vous montre comment elle a fait, ma psychiatre a fait signe que oui, alors je lui ai pris la main, on s'est assises toutes les deux par terre, je me suis recroquevillée et j'ai posé ma tête entre ses cuisses, et ma psychiatre m'a flattée elle aussi, c'était vraiment bon, toute une sensation, elle a juste dit, c'est comme ça qu'elle a fait, oui, que je lui ai répondu tout doucement, et après je lui ai demandé, qui êtes-vous, une princesse, une fée? et elle m'a dit, je suis une fée, ma très chère petite fille, je lui ai dit mon nom, elle m'a dit que c'était un très beau nom, Ève, comme la première femme du monde, et je lui ai fait remarquer que maman aussi s'appelait comme ça, et elle m'a demandé, où elle est ta maman, je lui ai dit qu'elle était partie sur la rue chercher des messieurs, puis ma psychiatre m'a demandé ce qu'elle avait fait après, la fée, je lui ai dit, elle n'a rien fait, elle est restée tout près de moi longtemps, très longtemps, jusqu'à ce que je m'endorme, ah oui, elle m'a dit aussi qu'elle m'aimait beaucoup et qu'elle viendrait toujours à mon secours quand j'en aurais besoin, je n'aurais qu'à penser à elle très très fort et à prononcer son nom, et comment s'appelle-t-elle? que m'a demandé ma psychiatre, la fée de la jungle, que je lui ai dit, et elle est restée comme surprise, tu la connais, que je lui ai demandé, elle a réfléchi un moment, puis elle m'a dit, j'ai déjà entendu parler d'elle, oh il y a très longtemps quand j'étais petite fille, elle est fine, que j'ai dit, et très belle, elle habite dans un château loin loin dans une grande forêt, et peut-être qu'un jour elle viendra me chercher, puis elle m'a donné deux, trois petites tapes en me disant de ne plus avoir peur parce qu'elle serait toujours dans mon cœur et qu'avec sa baguette magique elle me protégerait de tous ceux qui voudraient me faire du mal, comme qui par exemple? que m'a demandé ma psychiatre, et je lui ai dit, des grosses bêtes méchantes de la jungle et aussi de l'homme-lion qui a dévoré ma mère, et j'ai demandé à ma psychiatre si elle le connaissait, elle m'a dit non, qui c'est? et je l'ai revu dans ma tête, alors j'ai dit, c'est un homme très très méchant, avec une tête de lion, qui se promène la nuit, on ne peut jamais le voir, il est toujours caché, il court après les enfants, il les attrape et il les mange, parce que les enfants ne doivent jamais traîner dehors la nuit, mais il s'attaque aussi aux femmes, surtout si elles sont toujours dehors la nuit, c'est alors que j'ai pensé à maman, comme si elle était en moi, comme si elle me parlait, m'envahissait, me pénétrait de toutes parts, je l'avais dans la peau, et j'ai été un bon moment sans parler, ma psychiatre m'a posé deux ou trois autres questions, je n'ai pas répondu, je voulais juste retrouver ma maman et, à travers elle, mon enfance, et toutes sortes d'images venaient se fixer dans ma mémoire, j'étais pleine de mon enfance, pleine de ma mère, jamais je n'avais fait un si grand saut dans ma tête, les souvenirs m'inondaient, je revoyais toutes sortes de scènes, je revivais intérieurement toutes sortes de moments, de sentiments et d'émotions, cela m'a fait un drôle d'effet, comme si soudain quelque chose se brisait en moi, ou plutôt comme si une blessure à peine cicatrisée s'ouvrait toute grande, béante comme le jour et fermée comme la nuit, oui, c'est ça, une blessure, ma blessure, et là, avec ma psychiatre, je veux dire guidée, accompagnée, soutenue par elle, j'étais en train de crever l'abcès, le pus sortait enfin, tout ce que j'avais enduré, avalé, refoulé pendant des années, pour ne pas dire toute une vie, et oui, oui, oui, je voulais en parler, tout raconter, tout dire, n'importe quoi, n'importe comment, quelqu'un était là pour m'écouter, comme si c'était la première personne que je rencontrais de toute ma vie, comment est-ce possible, et cela m'excitait, je ne savais plus par quel bout commencer, j'avais la bouche pleine de mots, ils voulaient tous sortir en même temps, et ça a pris un moment avant que je commence à parler, je voulais juste mettre un peu d'ordre dans ma tête d'enfant posée entre deux cuisses étrangères, comme si j'allais accoucher, et j'ai dit à Catherine, la nuit, je me souviens, la nuit, j'étais toute petite, jamais capable de m'endormir seule dans mon lit, les draps par-dessus la tête, j'avais l'air d'un fantôme, ma maman n'était pas souvent là, seulement de temps à autre, toujours prise ailleurs, pas le temps de venir dans la chambre voir sa fille chérie, sa princesse, son bébé, son trésor, son amour, non, juste un petit tour, un baiser sur le front ou sur les joues, puis bonne nuit, mission terminée, elle s'en allait, revenait accompagnée d'un monsieur, jamais le même, oui, ça a duré des années, et toutes ces nuits, seule, de plus en plus seule dans mon lit, dans le nid de ma vie, sans être capable de fermer l'œil, attendre, attendre, c'était long et souffrant toute cette attente, et dans ma tête toutes sortes de bruits, des bruits de pas, des sonneries, des cognements dans la porte, en plus de tous ces petits cris, j'avais peur, peur de tout et de rien, peur des monstres, des fantômes, des sorcières, des loups, des gros serpents venimeux, de l'homme-lion qui se promène la nuit pour manger les p'tits enfants sans défense, peur des maudites grosses bêtes sauvages, des tigres, des crocodiles, des lézards, des araignées géantes et des aigles avec leurs becs pointus qui descendent du ciel pour venir crever les yeux du monde, et parfois j'entendais toutes sortes de bruits, de cris, de sifflements, de croassements, et même si je me bouchais les oreilles ou que j'enfouissais ma tête sous l'oreiller, ça n'arrêtait pas, je les entendais quand même, et j'en parlais à maman, et elle disait, allons, ma chérie, ce n'est pas grave, tu ne t'imagines que des choses, n'y pense plus, ce ne sont que de vilains cauchemars, et dans mes rêves je me voyais toujours toute seule, perdue dans la jungle, incapable de retrouver mon chemin, ni ma maman, comment me sortir de là, seule avec toutes ces bêtes sauvages très méchantes qui tournaient autour de moi, me guettaient, avec leurs grandes gueules ouvertes prêtes à me déchiqueter, à me couper en petits morceaux et à me dévorer? et tous ces cris qui résonnaient de partout, ces cris venus de l'enfer, et moi incapable de ne rien faire, trop petite, et ce rêve revenait souvent, toujours le même, comme s'il faisait partie de moi, très profondément en moi, dans mon ventre, dans mon cœur, dans ma tête, ce cauchemar de la petite fille perdue dans la jungle, oui, ça remonte à loin toute cette folie, cette peur, j'avais peur de la vie et de tout le reste qui vient avec, peur que la vie me fasse mal, me détruise, me broie, m'écrase, me mange tout rond, et maman était loin comme le ciel, loin comme la toute dernière étoile, toujours occupée avec des messieurs vraiment étranges, pas méchants, non, très gentils parfois, ils me donnaient du bonbon, des poupées, de l'argent que je mettais dans mon cochon, mais des messieurs quand même étranges, qui riaient, râlaient, jouissaient, oui, je pense souvent à elle, quand elle était de l'autre côté, dans sa chambre, séparée de moi, et toutes les fois où j'avais besoin d'elle, elle n'était jamais là, toujours avec ces messieurs qu'elle ramassait un peu partout, dans des hôtels, des motels, des voitures, dans la ruelle, mais plus souvent qu'autrement dans la rue, et elle les entraînait dans sa chambre, de l'autre côté du mur, et moi de ce côté-ci, avec mes bonbons, mes poupées, mes nounours, et ces messieurs payaient, parfois très cher, et elle, en retour, elle les faisait frémir, jouir, frissonner, et c'est pour ça que la nuit on entendait des rires, rarement celui de maman, et des râlements sans fin, des sifflements et des petits cris semblables à ceux que j'entendais dans ma tête, ces petits cris venus de la jungle, puis quand je n'en pouvais plus je braillais comme une folle, alors ça se calmait, plus aucun halètement, ni de gémissement, et là j'entendais les pas d'un homme qui s'enfuyait à toutes jambes, d'autres fois, je me levais sans faire de bruit, j'entrouvais la porte et je voyais un monsieur, jamais le même, grand, petit, gros, maigre, jeune, vieux, cheveux noirs, gris, frisés, blonds ou sans cheveux, des fois avec un chapeau, des lunettes, une barbe ou une moustache, et l'alcool me montait à plein nez, ça sentait la rue jusque dans ma peau, et la plupart du temps le monsieur marchait tout croche, riait ou chantait, et maman disait toujours, pas si fort, pas si fort, et ils disparaissaient dans sa chambre, et le bordel recommençait, les soupirs, les râlements, les cris, tout ça, et moi je restais plantée droit au milieu de ma chambre et je regardais fixement la porte et j'avais juste le goût de l'ouvrir, cette porte cachant mes terreurs d'enfant, et de partir, loin, loin, loin d'ici, loin de tout, tout quitter, tout couper, aller jusqu'au bout du monde et ne jamais plus revenir ici, dans cette chambre où la mort rôdait, oh! j'aimerais tant, Catherine, aller de l'avant, sortir de ce cauchemar que je traîne avec moi depuis des années, m'enfuir de cette chambre d'enfant que je transporte partout où je vais, en particulier à l'hôtel, avec ces hommes qui m'attendent partout, dans le hall, au bar, à la réception, ou cachés dans des coins noirs, le long des couloirs, dans des chambres, ces hommes avec leurs sourires, leurs rires, leurs mains envahissantes, pénétrantes et agitées, toujours les mêmes depuis mon enfance, semblables à ceux qui accompagnaient maman, incapable de faire ça, de perdre ma vie, de me perdre dans leurs vies, oh! ce serait merveilleux si la fée de la jungle revenait, et juste en donnant un petit coup de baguette magique elle effacerait tout dans ma tête, plus de cris, plus de bruits, rien, et on irait vivre dans son beau château dans la grande forêt, seules toutes les deux, jusqu'à la fin des temps, c'est sur ces mots que je me suis endormie là, entre les cuisses de Catherine et, au bout d'un moment, elle m'a réveillée, j'étais complètement perdue, j'avais l'air d'une somnambule, je ne savais plus très bien si j'avais rêvé ou pas, et Catherine est venue me reconduire jusqu'à ma chambre, j'ai dormi encore, puis les jours ont passé, et j'ai appris que mon procès avait été remis, et ce fut pour moi une si grande joie que d'apprendre cette nouvelle, j'ai pleuré dans les bras de Catherine, elle m'a dit de ne pas m'en faire avec ça, de ne plus y penser, que tout dans la vie finissait par s'arranger, cela m'a soulagée, comme si j'étais du même coup délivrée d'un poids énorme sur mes épaules, je me suis sentie flotter, c'était une si agréable sensation, puis je me suis mise à rire comme une folle, je dansais, je sautais dans les airs, je criais et je chantais, toute cette joie en moi, un bonheur immense, et tout le monde à l'hôpital était heureux pour moi, puis j'ai commencé peu à peu à me faire des amis, à créer des liens, comme disait si bien Catherine, les gens étaient vraiment gentils avec moi, je participais à des activités, j'accomplissais certaines tâches, je fabriquais des choses, des fois, j'allais me promener dans le jardin et, un matin, j'ai remarqué que tous les arbres avaient perdu leurs feuilles, il faisait de plus en plus froid, la neige commençait à tomber, le temps a passé vite, que je me suis dit en retournant à ma chambre, mon train-train quotidien continuait, je rencontrais Catherine trois, quatre fois par semaine, on jasait de tout et de rien, mais surtout de moi, j'étais plus souvent qu'autrement mon propre sujet de conversation, et je suis partie à rire en pensant à cela, je n'étais pas habituée à parler de moi, de mes souvenirs, des événements de ma vie passée, de mes rêves, de mes problèmes, et Catherine m'écoutait toujours, sans me juger ou me faire la morale, elle me comprenait, c'est ça qui était merveilleux, jamais j'aurais imaginé que quelqu'un sur terre réussirait à me comprendre tellement j'étais mêlée, bourrée de problèmes, de la tête aux pieds, anéantie par eux, et un soir, en regardant le bulletin de nouvelles à la télévision, j'ai compris que pendant toute ma vie je n'avais fait que ça, ramasser toute la merde du monde, à commencer par celle de ma mère, j'avais été une éponge, une poubelle, rien de plus, rien de moins, jamais je n'avais pu être moi-même, et c'étaient tous ces déchets d'autrui qui étaient en train de sortir, la grande lessive, le ménage de printemps, l'évacuation de toute cette pourriture que j'avais avalée, et ça sortait de partout, par tous les bouts, mais surtout par mes yeux et par ma bouche, puis un après-midi, alors que j'étais dans le bureau de Catherine, elle m'a remis du papier et des crayons de couleur, et comme je lui avais déjà dit que j'aimais beaucoup dessiner, elle m'a demandé de faire un dessin, mais pas n'importe lequel, non, un dessin de l'homme-lion, son portrait-robot en quelque sorte, je lui ai demandé pourquoi, elle m'a juste dit que la police avait besoin d'indices, et avec ce portrait, peut-être que ça les aiderait, j'ai trouvé que c'était une bonne idée que de partir à la recherche de l'homme-lion, celui qui me poursuivait depuis si longtemps, celui qui m'avait fait tant mal et tant peur, et tout en le dessinant, bien que j'aie dû recommencer plusieurs fois, des choses me sont revenues, des choses si profondément enfouies en moi, et j'ai dit à Catherine, je me souviens encore de cette nuit, je m'en souviendrai toujours, jamais je ne pourrai l'oublier, il y a longtemps de cela, je devais avoir à peu près dix ans, une nuit si monstreuse, si douloureuse, et je me suis arrêtée de parler, j'avais trop mal, Catherine m'a demandé, qu'est-ce qui s'est passé cette nuit-là, et j'ai dit, ma mère m'avait promis de m'emmener au cirque voir les magiciens, les clowns, les acrobates et les animaux de la jungle, je l'ai attendue toute la soirée, car elle n'était pas encore rentrée, je suis allée me coucher avec ma poupée, j'étais pas capable de dormir, alors j'ai pensé très fort à la fée de la jungle, je lui ai demandé de venir me chercher et de m'emmener avec elle dans son beau château, puis tout à coup j'ai entendu le tintement de petites clochettes, la fenêtre s'est ouverte toute seule comme par magie, je me suis redressée, la fée de la jungle m'est apparue, elle est entrée par la fenêtre, c'était plein de lumière dans ma chambre, elle s'est avancée vers moi, puis elle est venue s'asseoir sur le bord du lit, j'ai ressenti tellement d'amour et de chaleur juste en la voyant là à mes côtés, j'étais bouche bée, incapable de dire quoi que ce soit, vraiment émue au plus haut point, et la fée de la jungle m'a dit tout doucement, tu m'as appelée, Ève? j'ai fait signe que oui, tu t'ennuies toute seule? qu'elle m'a demandé, j'ai dit oui, elle m'a dit de me coucher et de fermer les yeux, ce que j'ai fait, très excitée, et elle a dit, détends-toi, laisse-toi aller, ne pense qu'à moi, écoute ma voix, et tu entendras une douce musique venue des étoiles, c'est la musique du ciel, c'est calme, mmm, tu es bien, tu vas voyager avec moi à travers la nuit et tu vas découvrir un monde que tu n'as jamais vu, concentre-toi, Ève, tu n'entends rien d'autre que ma voix et, à travers elle, cette musique stellaire, regarde en toi, qu'elle a dit dans mon oreille, regarde dans ta tête, regarde comme si c'est beau, toutes ces chutes de couleurs qui coulent dans la nuit peuplée de clowns, de magiciens, d'acrobates et de trapézistes qui se balancent d'étoile en étoile, tu les vois, et j'ai fait signe que oui avec ma tête, comme si elle était au centre d'un nouveau monde, ce spectacle est uniquement pour toi, Ève, tu n'en verras jamais un autre comme celui-ci, il ne fait que commencer, et c'est alors que j'ai ri, t'aimes ça? que m'a demandé la fée de la jungle, j'ai dit oh oui! je le savais, qu'elle a dit, tous les enfants du monde aimeraient le voir, mais peu le voient, t'es chanceuse, toi, c'est parce que je te connais, que tu m'aimes autant que je t'aime, laisse-toi aller dans tes rêves, vas-y, Ève, va t'amuser avec tous ces personnages féeriques, va les retrouver, ils t'attendent, et c'est ce que j'ai fait, j'avais la tête pleine de musique, de personnages et de couleurs fantastiques, puis un peu plus tard dans la nuit, j'ai entendu le bruit d'une porte claquée, je me suis réveillée en sursaut, précipitée hors de mes rêves, je ne savais plus très bien ce qui se passait, ni où j'étais, je me suis frotté les yeux pour mieux voir, je me suis levée, je suis allée jusqu'à la porte et j'ai écouté, l'oreille collée contre celle-ci, j'ai pensé que c'était maman qui rentrait, sans doute avec quelqu'un, parce que ça arrivait rarement qu'elle revienne seule à la maison, et j'étais en maudit après elle parce qu'elle m'avait promis de m'emmener au cirque et qu'elle n'avait pas tenu sa promesse encore une autre fois, et dans ma tête, je la traitais de toutes sortes de mots laids et vulgaires, de vache, de chienne, de salope, de putain, de sans cœur, et j'en passe, j'avais presque honte de penser ça d'elle, mais c'était plus fort que moi, parce que dans le fond de mon cœur, je ne lui souhaitais que du malheur, c'est alors que j'ai demandé à la fée de la jungle de punir ma mère, cet être si égoïste, quand tout à coup j'ai entendu des bruits sourds provenant de la chambre de ma mère, puis plus rien, j'ai alors couru en direction du mur qui nous séparait nous deux, j'ai pris un verre qui traînait sur mon bureau, j'ai mis mon oreille dessus et j'ai écouté, puis j'ai entendu ma mère crier, es-tu fou? qu'est-ce qui t'arrive? lâche-moi! va t'en! au secours! Ève, appelle la police, au secours! Ève, et ma mère a crié encore, elle a hurlé, je ne savais vraiment plus quoi faire tellement j'étais énervée et que j'avais peur, j'entendais ma mère se débattre, se lamenter et suffoquer, j'ai demandé à la fée de la jungle de faire quelque chose pour elle, ça devait être sûrement l'homme-lion qui était de l'autre côté, puis ça s'est calmé, plus rien, que du silence, que le silence de la jungle, et, au bout d'un moment, j'ai entendu le claquement d'une porte, puis des bruits de pas dans le couloir, et ces pas venaient vers moi, je me suis précipitée vers la porte sans perdre un instant, j'ai appuyé de toutes mes forces, l'homme-lion a tourné la poignée et a essayé de l'ouvrir, c'est alors qu'un long cri d'épouvante est sorti de moi, un cri strident qui venait de si loin, des profondeurs de tout mon être, et ce cri était vraiment terrible, on a dû l'entendre jusqu'à l'autre bout de la ville, alors l'homme-lion a lâché la porte et il s'est enfui en courant, mais je criais toujours, puis j'ai entendu toutes sortes de bruits venant de tout bord tout côté, ça s'agitait dans tous les autres appartements du building, j'avais mal à la gorge, j'étais toutes en sueur et je tremblais jusque dans mes racines, alors j'ai pris ma poupée, je me suis assise devant la porte et je me suis mise à sucer avidement mon pouce, je sentais la fièvre monter en moi, j'avais des crampes au ventre et toutes sortes de spasmes nerveux, j'ai entendu encore d'autres bruits, des claquements de portes, des voix, des bruits de pas, et, un peu plus tard, des sirènes dans la nuit, puis après, je ne me souviens plus très bien de ce qui est arrivé, j'ai dû dormir un peu, parce que quand j'ai ouvert les yeux j'étais dans les bras de la voisine et je pleurais, elle m'a juste dit que maman était partie pour un très long voyage, et je m'en voulais, je me sentais tellement coupable, pourquoi? que m'a demandé Catherine, parce que je me tenais responsable de la mort de ma mère, tuée, étranglée par l'homme-lion, c'est moi qui avais demandé à la fée de la jungle de la punir sévèrement, et depuis cette nuit-là j'ai ça sur la conscience, je traîne avec moi cette idée fixe partout où je vais, et Catherine m'a dit que je n'étais aucunement responsable de la mort de ma mère, que ce n'était pas de ma faute, puis j'ai continué à dessiner, le portrait de l'homme-lion se précisait, et quand je l'ai eu fini, je l'ai donné à Catherine, elle l'a regardé très attentivement comme si elle y cherchait quelque chose, puis elle l'a déposé sur son bureau, elle m'a demandé ce que je ressentais maintenant, à l'instant même, qu'elle a précisé, et j'ai été incapable de dire quoi que ce soit, j'étais noyée, étranglée par toutes sortes d'émotions, comme si j'avais une boule de feu au creux de la poitrine, ça chauffait à l'extrême, des lames me brûlaient la chair, la découpaient en de petits morceaux très fins, c'est cette même douleur si intense, si vive, si cruelle, si monstreusement inhumaine qui me revenait d'aussi loin que cette nuit où maman est morte, cette souffrance des ténèbres me déchirant la chair, me pénétrant jusqu'à l'os, cette grande blessure s'ouvrait maintenant pour cracher tel un volcan tout ce que je croyais à jamais éteint, étouffé, oui, pendant toutes ces années j'avais été habitée par cette douleur, à la fois la mienne et celle de ma mère, et, à travers nous deux, toutes les grandes blessures de l'humanité, tout ça était enlisé en moi, très profondément, sommeillant dans mes nuits, attendant le moment propice pour se réveiller, une douleur que j'avais été incapable de dominer ou de chasser de moi, et qui m'avait suivie pendant des années, creusant lentement un gros trou dans mon ventre où se retrouvaient toutes les injustices et les souffrances du monde, tout ce que j'avais ramassé, incroyable, mais vrai, que je me suis dit, comment j'ai pu faire, j'en ai eu le vertige juste à y penser, oui, cette douleur, je l'avais annoncée à tout le monde, je l'étalais en plein jour ou plus souvent qu'autrement la nuit, dans la rue, sur les trottoirs que j'arpentais inlassablement, maladivement et obstinément, et en d'autres lieux, dans les bars, les motels et les hôtels, je la projetais sur quiconque intervenait dans ma vie, mais le miroir, ah! le miroir, me la renvoyait immédiatement, ou un peu plus tard, et elle me revenait comme un boomerang, en pleine face, ou derrière la tête, et ça me donnait un coup, je tombais, assommée, mais je finissais par me relever, pas toujours en bon état, il est vrai, mais tout de même, je résistais, j'avais la meilleure carapace en ville, quelque chose de solide, d'admirablement résistant, construit de toutes pièces au fil des années, renforci au besoin, recollé en cas extrême, et maintenant, devant Catherine, tout s'écroulait dans mes mains, tout s'effondrait en morceaux, ça pétait, éclatait, jaillissait, revolait, un vrai tremblement de terre, les secousses se faisaient entendre jusque dans les premières années de ma vie, et même plus loin encore, jusque dans le sein de ma mère, et en me levant, j'ai été prise d'un malaise, tout est devenu embrouillé, j'ai vu de petits points noirs mêlés d'étoiles, j'étais tout étourdie, chancelante, je me suis sentie défaillir, puis plus rien, l'obscurité, la panne d'électricité généralisée dans tout mon système, et c'est plus tard que j'ai appris que je m'étais évanouie, trop d'émotions peut-être, ou la découverte de la vérité, j'avais juste un petit bleu au coude droit qui disparaîtrait avec le temps, puis tout le tralala a continué, aucune nouvelle du procès, et c'est surtout pas moi qui en voulais, juste à y penser, je devenais à l'envers, je ne questionnais jamais personne là-dessus, et si jamais on m'en parlait, je faisais la folle, j'étais prête à aller jusqu'à simuler une tentative de suicide, c'était maintenant l'hiver, il y avait plein de neige partout, cela m'a rappelé quelques souvenirs heureux de mon enfance, quand j'allais jouer dehors avec mes amis de la rue, il faisait très froid, mais heureusement c'était plus chaud en dedans, je veux dire, non seulement dans l'hôpital, mais aussi et surtout en moi-même, là où ça compte vraiment, et toute cette lumière intérieure me faisait découvrir des tas de choses sur ce que j'étais et sur ce que j'avais été, je voyais beaucoup plus clair, j'apprenais à m'apprivoiser, à me connaître, comme si j'avais passé toujours tout droit à côté de moi, et un matin, j'ai ri au moins pendant une heure, parce que j'ai dit à Catherine qu'elle m'aidait à faire mes premiers pas dans la vie et dans la mienne, puis Noël est venu, on a eu une belle fête à l'hôpital, ah! de toute beauté, cela m'a émue, faisant ressurgir de tous mes Noël d'enfant un paquet de souvenirs liés à notre solitude commune à nous deux, Ève, la mère et la fille fusionnées, j'ai alors pensé à quel point nous nous ressemblions, créées dans le même moule, handicapées d'amour à la souche, et pendant la période des fêtes j'ai eu toutes sortes d'angoisses qui me lessivaient totalement, surtout que Catherine était partie en vacances, je n'en revenais pas de voir à quel point elle me manquait, comme si cette absence me renvoyait inévitablement à mon passé, et ce fut vraiment deux semaines très dures à vivre, physiquement et psychologiquement, je ne mangeais plus, je ne dormais plus, je faisais des crises pour un rien, et on a dû me faire des injections et me bourrer de pilules pour que je réussisse à passer au travers, puis un après-midi Catherine est revenue, toute bronzée, elle était belle comme une princesse, et je l'ai serrée fort, fort, fort, j'ai encore braillé, puis tout a continué comme avant, l'hôpital était devenu ma maison, je m'y sentais comme chez moi et même mieux que chez moi, je connaissais tout le monde, le personnel autant que les patients, j'avais exploré tous les coins et les racoins, même les endroits où c'était interdit de mettre les pieds, puis un matin, alors que j'étais avec Catherine dans son petit bureau, il y a quelque chose en moi qui a drôlement remué, ça m'a brassée littéralement dans mes racines, tout a commencé par une question, quand Catherine m'a demandé si je me souvenais de la première fois que j'avais fait ça pour de l'argent, je lui ai dit, ça remonte à loin, je devais avoir à peu près quinze ans, c'était avec un voisin, un homme âgé, j'avais bu, complètement soûle, j'étais pas consciente de ce que je faisais, le lendemain, quand j'ai pensé à tout ça, j'ai eu extrêmement honte, je me voyais comme la grande pécheresse, la plus belle putain de la rue, et Catherine m'a demandé pourquoi, alors je lui ai répondu que j'avais agi comme ma mère, que je venais de tomber dans un piège qu'elle m'avait tendu la nuit de sa mort, peut-être par vengeance, puis après j'ai pensé que de toute manière je ne pouvais l'éviter, ce piège était déjà tout tracé, fixé sur mon chemin, puis au bout de quelques semaines, j'ai remis ça, j'ai recommencé, toujours avec le même homme, dans des circonstances identiques, le vieux m'avait fait boire, j'étais encore ivre et je n'ai pu résister quand il m'a offert de l'argent, environ vingt dollars, j'avais besoin de cet argent, parce que la dame qui me gardait ne m'en donnait jamais, et, avec cet argent, je me suis acheté des choses, j'ai tout dépensé en moins d'une heure, non, je ne me souviens plus quoi exactement, peut-être un tube de rouge à lèvres, des faux cils et d'autres trucs, puis après avoir fait ça avec le vieux, je me sentais encore coupable, mais moins que la première fois, on s'habitue à tout, puis j'ai encore couché avec lui, toujours pour de l'argent, mais aussi pour du parfum, des robes, des bijoux, des fleurs, du poulet frit, une pizza et toutes sortes d'autres cadeaux, tout dépendant de l'imagination ou des moyens du vieux, rien à dire, il me gâtait, j'étais sa princesse, qu'il répétait maladivement, je n'avais qu'à lui sourire ou à marcher d'une telle manière en me bombant le torse, que le vieux craquait en une fraction de seconde, il me donnait tout ce que je désirais, un vrai Père Noël, un papa gâteau, puis au bout d'à peu près un an, il était complètement à sec, ruiné, pourri de dettes, mais il était toujours aussi fou de moi, il en suait, il en bavait, il en frissonnait, un soupir le faisait jouir, toujours très excité à fleur de peau, alors puisqu'il aimait ça, je lui en mettais plein la vue, je le provoquais, je le manipulais, je faisais tout ce que je voulais avec lui, un vrai petit chien, un nounours, il était prêt à faire n'importe quoi pour moi, pour mon corps, jeune, frais, pur, immaculé, sans aucun pli, sans aucune ride, la peau douce, lisse, blanche jusque dans les moindres détails, un corps en fleur, le parfum du printemps ou toute la chaleur de l'été, j'avais tellement de pouvoir sur lui, que si je lui avais demandé la lune, il me l'aurait donnée, et pas seulement la lune, les planètes et les étoiles avec, toute la galaxie, il n'y avait pas de limites à son désir, et après avoir raconté tout ça, Catherine m'a demandé combien de temps ça avait duré mon histoire avec le vieux, peut-être un an et demi, mais pas plus de deux, et quand j'ai vu qu'il était complètement fauché, qu'il ne pouvait plus m'offrir ce que je voulais, je l'ai laissé tomber, le vieux ne l'a pas pris, ça lui a fait beaucoup de peine, il pleurait à chaque fois qu'il me voyait, puis il est comme devenu obsédé, il me suivait partout, il me téléphonait, il venait frapper à ma porte, il m'avait dans la peau, j'ai commencé à avoir peur, mais en même temps j'aimais ça, quelqu'un s'intéressait à moi, et la folie du vieux a pris beaucoup d'ampleur, il ne le prenait pas du tout, alors je lui ai dit que s'il ne me laissait pas tranquille, j'avertirais la police, je leur raconterais tout, je passerais à table et je viderais mon sac, et en deux, trois mouvements on l'arrêterait pour détournement de mineure, grossière indécence, abus sexuel, puis on lui ferait un procès dont toute la ville parlerait, avec sa photo à la une de tous les journaux, ça ferait un gros scandale sur la rue, tout le monde le nierait, même sa famille, et on lui collerait un bon dix ans, si ce n'est pas plus, et au procès, j'en mettrais de la crème sur le gâteau, j'exagérerais, j'amplifierais toute l'histoire, je lui dirais au juge que le vieux m'avait maltraitée, battue, torturée, menacée de mort et tout le reste, dans ce qu'il y a de plus précis et de plus intime, et là, le juge deviendrait très émotif, il le condamnerait peut-être à perpétuité, sans droit d'appel, et le vieux, une fois en tôle, il se ferait tabasser par les autres détenus, on lui ferait vivre toutes sortes de choses atroces et bestiales, alors le vieux, après lui avoir dit tout ça, il m'a regardée fixement, la rage lui sortait par les pores de la peau, ses yeux étaient remplis de haine, la colère grondait en lui, et j'ai pensé à maman, parce que j'étais convaincue que ma dernière heure était arrivée, mais le vieux n'a rien fait, il est resté là, immobile, sans rien dire, une vraie statue, l'écume lui sortait par la bouche, j'ai pris la poudre d'escampette, et pendant quelque temps, je n'osais plus sortir ni aller à l'école, j'ai même commencé à me sentir faible, ma peau jaunissait de jour en jour, une mononucléose, que le médecin a dit, un mois couchée, et forcément, avec tout ce qui s'était passé durant l'année et cette maladie qui m'avait clouée au lit, j'ai échoué aux examens de fin d'année, je n'osais plus passer devant la maison du vieux, mais j'ai su qu'il ne sortait plus, qu'il dépérissait à vue d'œil, il ne mangeait plus, ne se rasait plus et il avait les cheveux sur les épaules, parfois ses voisins de palier disaient qu'ils l'entendaient crier à tue-tête, rire comme un hystérique et gueuler après tout le monde, il ne faisait que se soûler, puis un matin on l'a trouvé mort, avec deux bouteilles de rhum vides à ses côtés et ma photo dans une main, alors les policiers sont venus me voir, ils m'ont posé des questions, ils s'expliquaient mal le fait que le vieux avait ma photo dans sa main, surtout au moment de mourir, c'est encore plus intrigant, alors je leur ai dit que le vieux m'aimait beaucoup, qu'il me considérait comme sa propre fille, que je le connaissais depuis toujours, parce que c'était le meilleur ami de ma mère, et qu'il s'était toujours occupé de moi comme un vrai père, jamais il ne m'a fait quoi que ce soit, il m'a toujours respectée, un saint homme, et en disant ceci, j'ai éclaté en sanglots dans les bras d'un policier, il m'a consolée, il m'a dit qu'il était navré pour moi, qu'il comprenait vraiment ce que je ressentais, toute cette peine, cette douleur, alors je suis allée au salon funéraire, j'ai veillé sur le vieux pendant deux jours, et lorsqu'on a descendu sa tombe dans la fosse, j'ai eu vraiment du chagrin, ce n'était plus un jeu, c'était vraiment sincère, car, dans le fond de mon cœur je lui avais fait une petite place, pas grande, c'est vrai, mais tout de même, c'était mieux que rien, j'ai prié pour lui, pour son âme, je regrettais le mal que je lui avais fait, puis au bout d'un certain temps, j'ai fini par tout oublier, j'ai recommencé mon manège, je suis allée en voir d'autres, des vieux comme lui, en fait, ce sont plutôt eux qui venaient à moi, je les attirais comme une chienne en chaleur, mon corps était un aimant, le pôle d'attraction numéro un de la rue, et ce magnétisme-là était mon pouvoir suprême, l'offre ne suffisait pas à combler la demande, c'était la folie furieuse, comme à la bourse, et c'est à ce moment-là que dans ma vie j'ai compris que les hommes ne pensaient et ne vivaient que pour le sexe, que tout, en somme, ne se résumait qu'à ça, que c'était leur but premier, leur destination commune, et comme je commençais à faire beaucoup d'argent, j'ai abandonné l'école, je me suis lancée à plein temps là-dedans, j'avais trois cochons remplis jusqu'au bord, mais un jour, la dame où je restais, à qui on m'avait confiée depuis la mort de maman, est venue me retrouver dans ma chambre, elle m'a dit que je finirais exactement comme ma mère si je n'arrêtais pas immédiatement mes conneries, elle savait ce que je faisais, elle avait tout deviné depuis fort longtemps, dès mes premières rencontres avec le vieux, elle m'a dit qu'elle ne pouvait plus endurer ça, tout le monde ne parlait que de mes folies sur la rue, à un point tel que certaines personnes qui avaient connu ma mère disaient que le fantôme d'Ève était revenu, alors cela m'a saisie, m'a tourmentée, j'ai passé quelques nuits blanches, j'ai arrêté de faire ça pendant une couple de mois, je me suis trouvé du travail comme vendeuse dans une boutique de mode, le propriétaire était d'une extrême gentillesse avec moi, il me faisait des faveurs, je pouvais même me permettre d'être en retard, et jamais un mot plus haut que l'autre, ni aucune coupure sur ma paye, les autres vendeuses étaient vraiment jalouses, elles ne m'adressaient la parole que très rarement, puis une fois, le propriétaire m'a collée dans un coin, il m'a caressée et embrassée, il m'a dit qu'il était très riche, qu'il possédait une dizaine de boutiques et plein d'autres choses, qu'il avait de l'argent placé partout et dans tout, l'immobilier, la bourse, et en avant la musique, et plus il me regardait, plus il pensait que je n'étais pas faite pour travailler, ce n'était pas du tout mon genre, qu'il disait, ça me ferait vieillir, et mon corps en prendrait un coup, non, ton corps doit servir à autre chose, quelque chose de plus tendre, de plus délicat, de moins fatigant, puis il a commencé à me faire des cadeaux, des bijoux, du parfum, des vêtements, n'importe quoi, et, un soir, après le travail, il m'a invitée dans un chic restaurant, on a vidé trois, quatre bouteilles de champagne, en plus du festin du pêcheur, des crevettes grosses comme le poing, en voulez-vous, en voilà, et au digestif, il m'a dit qu'il fallait se parler très sérieusement, après une couple de cognacs derrière la cravate, il m'a avoué qu'il était marié et père de trois beaux grands enfants, mais que cela ne l'empêchait pas d'aller voir ailleurs, alors il m'a proposé un marché, quelque chose d'unique et que toute bonne fille avec une tête sur les épaules ne pouvait se permettre de refuser, qu'il a dit en s'esclaffant, alors j'ai accepté, il m'a trouvé un appartement très luxueux en haut d'une tour, j'étais presque accrochée aux nuages, il payait tout, et, en plus, il me donnait de l'argent pour mes dépenses, il me voyait deux ou trois fois par semaine, après il s'en allait, il ne voulait pas que je voie personne d'autre, sauf ma famille ou des amies de fille, mais jamais aucun autre homme que lui, tu me coûtes assez cher, qu'il a dit, j'ai droit à une fidélité totale, de corps et d'esprit, il était très jaloux, possessif, j'étais en quelque sorte sa douzième boutique, mais au bout de quelques mois, je me suis lassée de cette vie monotone, c'est vrai, j'avais tout ce que je voulais, mais en même temps je n'avais rien, alors j'ai commencé à sortir, seule au tout début, puis avec d'autres hommes, une nuit, il est venu par hasard à l'appartement du treizième ciel, j'étais couchée avec un gars, alors le patron est devenu fou de rage, il a frappé le gars, puis moi aussi, il m'a donné quelques gifles et un coup de poing sur la gueule, ça m'a assommée, quand je me suis réveillée, le patron m'a dit que si je recommençais, il me couperait tous les vivres, que je me retrouverais à la rue, rien de plus, rien de moins, alors je suis restée sage comme une image, mais j'ai aussitôt recommencé à voir d'autres hommes, c'était plus fort que moi, pourquoi j'agissais ainsi? sans doute pour le punir, et un soir, le patron m'a vue avec un autre patron dans un club de patrons, alors j'ai reçu une note par le serveur disant que je n'avais que vingt-quatre heures pour débarrasser le plancher du treizième, c'est fini entre nous deux, qu'il avait écrit, la boutique est fermée, j'ai déprimé, mais je me suis trouvée un autre homme riche, puis d'autres encore, et je me ramassais toujours à la rue, j'ai donc décidé d'y rester, je travaillais à mon compte, je pouvais passer dix hommes par jour, des fois plus, des fois moins, tout dépendant dans quel état je me trouvais, mais je fonctionnais la plupart du temps comme une machine, sans arrêt, automatiquement, j'étais très connue, en demande, un corps frais a toujours beaucoup de valeur sur le marché de la viande, je faisais à peu près tout ce que l'on me demandait, j'étais leur passeport pour le paradis, le rêve accessible, bien en chair, je n'arrêtais pas de faire de l'argent que je dépensais aussitôt, j'achetais ce que je voulais, libre de toute attache, je ne devais rien à personne, tel un papillon dans le vent, ma vie se résumait à deux choses, baiser et dépenser, les hommes frappaient à ma porte à toute heure du jour, le téléphone sonnait constamment, j'étais en train de devenir folle, un tourbillon infernal, un labyrinthe, je cherchais une porte de sortie, mais soit qu'il n'y en avait pas, soit encore que je ne la trouvais pas, alors j'ai commencé à me perdre en prenant des pilules, toutes sortes de pilules, tout ce qui me tombait sous la main, mais comme ce n'était pas assez, j'ai trouvé une issue dans la drogue et l'alcool, la grande fuite vers les paradis artificiels, et les hommes continuaient toujours d'entrer dans ma vie et d'en ressortir aussitôt, chaque homme y trouvait son compte, sauf moi, je leur siphonnais tous leurs problèmes, toutes leurs frustrations, leurs perversions et leurs déviations sexuelles, et malgré tout, je conservais un peu de lucidité, juste à la limite, juste assez pour ne pas faire le grand saut et me perdre à tout jamais dans le néant, mais en continuant ainsi sans répit, j'ai fini par me rendre très loin, au bout de moi-même et dans les coins et recoins secrets d'autrui, là où il n'y a qu'absence et blessure, oui, absence d'amour, absence de lumière, absence d'espoir, absence de tout, là où il n'existe que le commerce de la chair, où le désir n'est que synonyme de pouvoir et de possession, comment j'avais fait pour en arriver là, dans cette descente aux enfers, j'ai découvert, finalement, fondamentalement, que ce n'était pas réellement de ma faute, je n'étais coupable de rien, le destin, mon destin m'avait conduit là, ma mère, inconsciemment peut-être et bien malgré elle, m'y avait amenée dès mon plus jeune âge, en m'y préparant et en m'y initiant, nuit après nuit, client après client, j'en avais trop vu, trop entendu, trop ressenti, la chambre de mon enfance avait été le lieu où j'avais fait l'apprentissage de la chair livrée aux affamés de ce monde, et quand j'avais des moments de déprime, toute mon enfance me revenait, comme si on m'avait donné une bonne claque en plein visage, mais au lieu de me secouer, cela m'assommait, et là, j'étais prise d'un vertige sans nom, je tombais encore plus bas, je ne voyais vraiment plus d'issue, j'étais dans un cul de sac, je m'écrasais contre le mur, puis une nuit, j'ai voulu en finir une fois pour toutes, j'ai pris une lame de rasoir, je me suis tranchée les veines, assez profondément pour être certaine de ne pas me manquer, et le sang pissait sur les draps, dans le champ rouge de ma douleur, mais le destin en a décidé autrement, car, à la dernière minute, j'ai entendu une voix, une voix comme venue de l'au-delà, et cette voix m'a fait tellement de bien, elle apaisait ma souffrance, elle me calmait, puis toutes sortes de choses se sont passées à la vitesse d'un éclair, une fille, Donna Jeane, qui travaillait avec moi dans la rue, m'a découvert inconsciente dans la chambre, alors elle a appelé une ambulance, ils m'ont transportée à l'hôpital, j'ai été sauvée de justesse, et après quelques jours dans le coma, je suis revenue miraculeusement à la vie, on m'a vivement conseillé d'aller voir un psychiatre ou quelqu'un qui pourrait m'aider, c'est urgent, il y a un risque de rechute, et cette fois-là, un médecin m'a dit, peut-être que vous n'aurez pas toute cette chance, on en a juste une dans la vie et il faut la prendre pendant qu'elle passe, sinon il est trop tard, et il a ajouté, vous devez avoir, mademoiselle, un ange gardien, parce que vous êtes passée à un cheveu de la mort, ou peut-être que Dieu vous aime beaucoup et qu'il vous protège, et j'ai réfléchi à tout ça, ses paroles m'avaient touchée, j'ai pris un rendez-vous chez un psychiatre, je l'ai rencontré, mais une seule fois, car j'ai eu peur, pas nécessairement de lui, mais sûrement de moi, ou du moins de mon passé qui allait me revenir comme le fantôme de ma propre enfance, je ne me croyais pas assez forte pour supporter tout ça, la vérité m'affolait, et le psychiatre m'a téléphoné deux ou trois fois, il m'a dit qu'il m'attendait, et j'ai remis ça, de semaine en semaine, j'ai fini par ne plus y penser, j'étais convaincue que je m'en sortirais moi-même, sans l'aide de personne, puis j'ai pris de longues vacances, j'avais encore assez d'argent pour tenir le coup pendant au moins un an, je menais une vie rangée, tout ce qu'il y a de plus tranquille, je lisais, j'écrivais, j'allais au théâtre et au cinéma, toutes sortes de choses que je n'avais jamais faites de ma vie, j'étais la première surprise, je pouvais être quelqu'un d'autre, je pouvais fonctionner normalement comme le commun des mortels, j'étais fière de moi, j'ai même songé à retourner aux études, je me suis mise à avoir de folles ambitions, je voulais devenir architecte, avocate ou médecin, je voulais sauver le monde, construire quelque chose, m'élever à un point tel que plus personne de ma vie passée ne me reconnaîtrait, mais quand un orienteur m'a dit tout ce que j'avais à faire pour me rendre jusque-là, je suis tombée en bas de ma chaise, j'étais découragée, il m'a conseillé plutôt de viser moins haut, par exemple un emploi de secrétaire ou quelque chose du genre, peut-être même réceptionniste ou hôtesse dans un grand hôtel, alors c'est ce que j'ai fait, je suis allée dans un hôtel, j'ai offert mes services et on m'a dit que je tombais bien, parce qu'ils avaient justement besoin d'une réceptionniste de nuit, quelqu'un qui a une belle voix, justement comme vous, une voix douce et agréable, alors, après une semaine de formation, on m'a engagée, en me promettant que peut-être dans moins d'un an on me transférerait le jour, si tel était mon désir évidemment, j'étais vraiment heureuse, enfin je ferais une vie normale, enfin je serais comme tout le monde, libérée à tout jamais de ces mauvaises habitudes et de cet univers infernal, et j'ai fait ça quelques mois, je m'y plaisais bien, et un jour, j'ai vu que des filles gagnaient en une nuit ce que moi je faisais en quinze jours, elles travaillaient comme hôtesses, et l'une d'elles m'a dit que son travail consistait à accueillir les gens, les visiteurs, les touristes, tout ce beau monde, et on leur donne des informations sur la ville, les endroits à visiter, comment se détendre, se distraire et s'amuser, parfois il faut participer à des conférences, à des réunions ou à de petites fêtes intimes, tout dépendant des besoins, tout ce qu'il y a de plus social, en quelque sorte un travail de relations publiques, que je lui ai dit, et elle a dit, si vous voulez, et je lui ai dit que ma mère avait déjà fait ce métier-là, dans cet hôtel-ci, je lui ai dit à la fille que cela m'intéressait, que j'étais la personne toute désignée pour accomplir efficacement ce genre de boulot et que j'avais pas mal d'expérience en la matière, je lui ai fait un beau grand sourire avec un petit clin d'œil qui signifiait que j'avais tout compris, qu'il ne fallait surtout pas me prendre pour une imbécile, alors elle m'a référée à un monsieur, un type très bien, compréhensif, gentil, affable, tout ce qu'il y a de plus élégant, de raffiné et de cultivé, les hautes sphères de notre société, et après lui avoir fait part de mes expériences passées et surtout après lui avoir déployé toutes mes connaissances dans ce genre d'emploi, il en a eu plein la vue, croyez-moi, il m'a engagé sur-le-champ, les yeux fermés, sans aucune autre formalité, sans même un examen médical, et il m'a dit à quel point il était fier de me compter parmi son troupeau, et c'était tellement chaleureux et émouvant, que tous les chameaux du désert auraient facilement braillé rien qu'à l'entendre, vous avez tellement de classe, qu'il a dit, que tous les hommes, et même les plus exigeants et les plus coriaces, vont vous adorer, ce qu'ils recherchent avant tout c'est une fille comme vous, jolie, discrète, avec beaucoup de charme, de charisme et d'imagination, car vous savez comme moi, certains sont vraiment très bizarres, ils ont toutes sortes de goûts, de fantasmes et de manies, ils vont souvent chercher très loin des choses vraiment inusitées, mais je crois sincèrement que vous pouvez les combler de ce côté-là, ils vont être sûrement choyés, gâtés et satisfaits, et un client satisfait, ne l'oubliez pas, revient toujours, c'est notre devise, ah! vraiment Ève, et quel beau prénom, ça me rappelle la création du monde, oui, vraiment, je ne pourrais trouver mieux, comme s'il venait de découvrir une mine d'or ou un puits de pétrole, comme grand parleur, il était imbattable, tous ceux que j'avais connus ne lui arrivaient pas à la cheville, il avait sans doute un doctorat en philosophie, et j'ai pris la relève, c'est-à-dire le place de ma mère, dans cet hôtel où elle avait jadis travaillé en vendant son charme au premier venu, et en très peu de temps je me suis fait une bonne clientèle, fidèle et sans problèmes, des types, pour la plupart du temps, en voyage d'affaires, loin de leur femme et de leurs enfants, et des touristes aussi, toutes les races de la planète s'y retrouvaient et venaient étaler leur culture, j'apprenais des tas de choses sur leurs habitudes de vie, je m'ouvrais d'une certaine manière au monde entier, et le travail ne manquait pas, parfois j'avais des rendez-vous fixés un mois d'avance, j'arrive tel jour, à telle heure, peut-être pourrions-nous nous rencontrer pour savoir où en sont les choses, je m'étais même acheté un agenda pour être certaine de ne rien oublier et de n'oublier personne, puis un jour, les affaires ont commencé à baisser quand divers événements se sont produits, changeant dramatiquement le visage de notre jolie ville, et elle passa de la beauté à la laideur dans le temps de le dire, la lumière disparut, l'obscurité s'y installa en permanence, certaines semaines plus dures que d'autres, c'est tout juste si j'avais un client par nuit, mais je persistais, j'étais toujours là, plus résistante que jamais, une vraie institution, avec mon tailleur, mon tambourin avec une voilette, mes gants, mes bas et mes souliers à talons hauts, toujours de noir vêtue, c'était ma marque de commerce, et, pendant toutes ces années, j'ai vu défiler un nombre incroyable d'hôtesses, la plupart ne restaient pas longtemps et disparaissaient, soit pour aller travailler ailleurs, changer de métier, sombrer dans la folie ou se suicider avec ou sans préméditation, c'était le métier par excellence pour devenir une loque humaine, mais moi, à la surprise générale, je n'abandonnais pas, je continuais ma vie érigée en une véritable forteresse, que rien au monde n'aurait pu ébranler, tellement ma charpente était parfaitement et solidement enracinée dans mon enfance, et avant de quitter Catherine, parce que la séance était terminée, elle m'a demandé si j'avais déjà eu du plaisir à faire ça, je lui ai dit, jamais, mon seul plaisir, je le trouvais au moment où l'homme payait, et elle est revenue avec une autre question, à savoir quelle sorte de plaisir j'y trouvais dans ce geste, au moment où l'homme me remettait l'argent, et j'ai été incapable de répondre, ça devenait trop confus dans ma tête, j'ai pris une cigarette, je l'ai allumée, je me suis mise à faire nerveusement les cent pas, j'étais toute à l'envers, et j'ai réentendu les bruits de pas, les cognements dans la porte et les coups de sonnerie, ces bruits revenaient, et Catherine m'a posé la même question, à savoir ce que je ressentais quand l'homme me remettait le fric, et là, je ne sais vraiment pas trop ce qui s'est passé en moi, j'ai craqué, je me suis mise à frapper dans la porte, de plus en plus exaspérée, nerveuse, dans tous mes états, je parlais toute seule, je soupirais, je grognais, et puis j'ai dit à Catherine, payer, oui, je voulais juste leur faire payer, ça me faisait jouir de savoir qu'ils étaient à ma merci, que c'est moi qui les dominais, qu'ils venaient manger au creux de ma main en se traînant à quatre pattes, du pouvoir, c'est exactement ça le mot que je cherchais, j'avais du pouvoir, le pouvoir de leur donner du plaisir, beaucoup de plaisir ou très peu, le minimum, tout dépendant avec qui j'étais ou comment je me sentais, oui, le pouvoir de leur faire mal, de leur dire n'importe quoi, de les faire languir, désirer, gémir, jouir, je me sentais forte, puissante, au-dessus de tout, j'étais la reine, la princesse, la fée, celle qui a le pouvoir de transformer les choses et les êtres, et eux, ils étaient là devant moi, si faibles, si fragiles, si vulnérables, ils n'avaient qu'à subir, et je tremblais en disant tout cela, je ne m'appartenais plus, ça commençait à me faire mal en dedans, et Catherine, sans perdre un instant, est revenue avec une autre question, elle m'a demandé si je croyais que tous ces hommes avaient eu du pouvoir sur moi, et là, je me suis arrêtée face à elle, sidérée, je l'ai regardée droit dans les yeux, et j'ai explosé, j'ai crié, non, jamais, jamais, jamais, aucun pouvoir, vous avez compris, c'est clair, pourquoi vous me demandez ça, vous voulez que je me sente coupable, aucun homme sur terre n'a eu du pouvoir sur moi, jamais, jamais, c'est toujours moi qui décidais, qui menais le jeu, mais vous ne pouvez comprendre, vous ne savez pas comment ça se passe, allez-y sur la rue, dans les hôtels, dans les bars, allez-y voir comment ça se vit, alors là, là seulement nous pourrons parler, c'est facile de juger, d'analyser tout ça, le cul assis dans un bureau, mais dans la réalité, hein, c'est autre chose, ça fait que sortez donc de votre trou de psychiatre une fois pour toutes, vous m'en donnerez des nouvelles, et vous, hein, parlons donc de votre vie, de vos blocages, de vos manies, de vos fantasmes, parlez-en donc franchement, quoi, ça ne vous tente pas, vous avez peur, et vous croyez que c'est facile pour moi de parler de tout ça, comme si je parlais de la pluie et du beau temps, prenez-la donc ma place si vous êtes si fine que ça, vous allez voir comment on se sent dans ses tripes, comment ça se vit à l'intérieur, vous jouez les pures, les vierges, les femmes sans reproches, la grâce, la perfection, mais j'ai une question, une seule, est-ce que vous avez déjà baisé avec un homme pour son argent, ou pour autre chose, du parfum, des bijoux, un repas aux chandelles au restaurant, ou pour une vie à deux, le mariage, et tout ce qui va avec, la sécurité à long terme? qu'est-ce que vous répondez à ça, allez, mettez-vous à table, videz-le votre sac, il y en a combien de femmes qui se sont mariées rien que pour tout ce baratin, le fric, pas autre chose que le maudit fric, de peur de vivre et surtout, oh! surtout, de vieillir seule dans un petit studio, en plus de toutes celles qui n'osent demander le divorce par crainte de tout perdre, oui, ma très chère madame la psychiatre, vous qui connaissez tout, qui êtes au-dessus de l'humanité, enfermée dans votre tour d'ivoire, je vais vous dire ceci, parfois l'amour a l'odeur du fric, oui, parfaitement, et comment ça s'appelle ça, hein, moi, je vais vous le dire, ça s'appelle de la prostitution, oui, ma chère, de la prostitution avec la pleine sécurité d'emploi, les avantages sociaux, le fonds de pension, vous savez, la retraite à deux au soleil, ça aussi, il ne faudrait pas l'oublier, et comment on les appelle ces femmes qui acceptent ça toute leur vie, ça s'appelle des putains, des poules de luxe, des poupées, des servantes, des êtres dénaturés au service du fric, qu'est-ce que vous dites de ça? vous croyez que j'ai trouvé ça toute seule, oh non! des milliers d'hommes me l'ont dit, la vie de couple, parlons-en, une fois sur deux, c'est pire que des nuits de débauche dans un bordel, le terrain propice à l'exploitation, à la domination, au chantage affectif, à l'hypocrisie et qui s'ouvre tout grand sur la mort, lente et assurée, à petites doses, Catherine m'écoutait sans broncher, sans réagir, aucune émotion transpirait sur son visage, rien, comme si je parlais à un mur de glace, puis en avez-vous d'autres questions? que je lui ai demandé, et elle a répondu oui, laquelle? posez-la! que je lui ai crié, et elle m'a demandé, crois-tu que tous ces hommes en avaient du pouvoir sur toi? alors j'ai encore explosé, j'étais furieuse, haineuse, je lui aurais sauté au visage pour lui déchirer son maudit regard de statue, de sainte, et j'ai hurlé, quoi, mais vous me l'avez déjà posée cette maudite question-là, et je vous ai répondu, et j'ai donné un violent coup de poing sur le bureau en criant, vous ne m'avez pas écouté, et Catherine a aussitôt dit, je n'ai fait que ça, Ève, je t'ai écoutée, mot après mot, phrase après phrase, j'ai tout entendu, tout compris ce que tu m'as dit, je me suis remise à faire les cent pas, et j'entendais toujours les bruits, de plus en plus présents, ces bruits venus de si loin, et je me suis arrêtée face à la fenêtre, j'ai commencé à pleurer, elle ne pouvait se douter de tout le mal qu'elle me faisait, mais en même temps elle m'ouvrait les yeux, oh juste un peu, juste assez pour que je m'aperçoive à quel point j'avais passé toute ma vie dans le brouillard, l'indifférence et le mépris, je me sentais si vide tout à coup, toute une vie sans amour, c'était ça ma réalité, puis Catherine m'a dit que je devais prendre conscience de certaines choses et accepter de les regarder en face telles qu'elles étaient, sans chercher à fuir, il me fallait, qu'elle a rajouté, après s'être allumé une cigarette, affronter ce problème, mon problème, qu'elle considérait presque comme une maladie, mais qui se guérissait, et elle a parlé encore, mais je ne l'écoutais plus, j'étais trop occupée à la détester, elle et tous les autres êtres de son espèce, en particulier ma mère, il me semblait alors que le sol glissait sous mes pieds, que je n'avais plus aucun point d'appui, tout s'en allait, ma vie n'avait plus aucun sens, et je me suis retournée vers Catherine, et je lui ai crié, des sanglots dans la voix, va te faire foutre, qu'est-ce que tu connais tant à la vie, hein? t'as jamais mis les pieds dehors, t'as passé toute ta vie dans un bureau à écouter le monde se lamenter et à chercher dans des livres la réponse à leurs problèmes, t'es comme toutes les autres femmes, les banlieues sont pleines de femmes comme toi, puis je suis sortie en claquant la porte, je suis descendue en bas en la maudissant, tout le monde me regardait, puis quand je suis entrée dans ma chambre, j'ai tout jeté par terre, tout cassé et tout déchiré, j'avais perdu le contrôle, je ne savais plus ce que je faisais, alors deux infirmiers sont entrés, ils m'ont saisie par les bras et par la taille, je me débattais, en criant et en pleurant, j'essayais de les mordre et de me mordre moi aussi tellement je me haïssais, puis ils m'ont couchée de force sur le lit en ne cessant de me répéter de me calmer, mais il n'y avait rien à faire, j'étais hors de moi, alors une infirmière est entrée, elle m'a fait une injection, j'ai encore crié, puis, au bout d'un moment, tout est devenu si calme, je me suis sentie partir en voyage vers un autre monde, plus aucun bruit, le silence au bout de la route, le merveilleux silence du désert, et quand je suis revenue à la réalité, c'était la nuit, j'avais un peu mal à la tête, je ne me souvenais plus très bien de ce qui s'était passé, j'ai même pensé que j'étais à l'hôtel, attendant un client, et j'ai essayé tant bien que mal de faire un retour en arrière, mais j'avais des blancs de mémoire, tout fonctionnait au ralenti dans ma tête, je me suis levée, j'ai failli tomber en sortant du lit, je suis allée jusqu'à la fenêtre et j'ai regardé dehors, il neigeait, c'était si beau toute cette blancheur, et, au loin, on pouvait voir les lumières de la ville comme des diamants scintillant dans la nuit, et soudain un souvenir est venu me hanter, comme une image fixe en noir et blanc sur un écran, l'écran de ma vie, je me suis revue, une nuit de Noël, j'avais à peu près vingt ans, seule au coin d'une rue sans nom, à attendre un client, mais aucun client, rien que de pauvres filles comme moi au coin de toutes ces rues, des filles qui grelottaient, qui cherchaient peut-être inconsciemment non pas des clients, mais un peu de chaleur humaine, cette chaleur inconnue, jamais vécue, oui, l'image était là devant moi, comme une affiche de cinéma masquant toute la fenêtre, et je faisais les cent pas, emmitouflée dans un long mateau noir, j'attendais le client qui allait me sortir de là, de cette solitude que j'exhibais et que j'offrais à tous les passants, et, avec lui, l'espace d'un instant, je me ferais accroire que moi aussi j'avais quelqu'un la nuit de Noël, mais plus le temps passait, plus les rues se vidaient, et aucun client potentiel en vue, juste moi au coin de cette rue, moi et le désespoir de mes vingt ans, et, écœurée d'attendre, j'ai pris un taxi, je suis retournée chez moi, j'ai vidé une bouteille de vin, je me suis endormie avec ma poupée dans une main et la bouteille vide dans l'autre, et quand je me suis réveillée, Noël n'existait déjà plus, ce n'était plus qu'un mauvais souvenir, c'est précisément cette image de mes vingt ans qui, cette nuit-là, a été le point de départ d'un virage prononcé et radical, d'un changement de route et, par le fait même d'horizon, je suis allée me coucher avec cette image-là bien imprimée dans le front, bien ancrée en moi, et je me suis dit que cette image était assez puissante pour m'empêcher de tomber, qu'elle me soutiendrait dans cette quête de moi-même, et en m'endormant je n'ai cessé de la revoir dans ma tête en me répétant constamment pour ne pas l'oublier, je ne veux plus revivre ça, je ne veux plus revivre ça, je ne veux plus revivre ça, et quand j'ai ouvert les yeux, c'était le matin, Catherine était assise sur le bord de mon lit, tout près de moi, si près de moi, elle me souriait, je me suis retournée aussitôt pour ne pas la voir, mais au bout d'un moment, je suis revenue à elle, je lui ai fait un beau sourire et j'ai pris sa main et je l'ai serrée très fort, ça m'a fait du bien, je lui ai demandé de me flatter, ce qu'elle a fait, j'ai fermé les yeux, Catherine m'a dit qu'exceptionnellement on se verrait dans l'après-midi, si, bien entendu, je n'avais pas d'objection, et j'ai dit oui, je serai là, je viendrai, elle m'a souhaité une bonne journée, puis elle est partie, et peu de temps après je me suis levée, j'ai pris une douche froide, cela m'a fait du bien, et sous l'eau un souvenir m'est revenu, je me suis rappelé toutes les fois où j'avais pris des douches froides pour me remettre sur pattes et, en pensant à ceci, j'ai remercié l'eau d'être venue si souvent à mon secours, tout cela m'a fait rire, je riais comme une folle, je riais si fort qu'une femme de ménage qui nettoyait la salle des douches s'est mise à rire elle aussi, puis après la douche, je suis retournée dans ma chambre, j'avais l'intention de me maquiller, chose que je n'avais pas faite depuis mon arrestation, et en me regardant dans le miroir, j'ai cherché à voir au-delà de ce visage mon propre visage, et je me suis souvenue à cet instant précis de ce que m'avait dit un jour Catherine, laisse vivre la petite fille qui est en toi, laisse-la crier, pleurer, rire, parler, gueuler à propos de tout et de rien, mais surtout laisse-la grandir, même si ça te fait mal, même au prix d'une grande souffrance, et je ne sais pas trop ce qui s'est passé, je suis restée là un bon bout de temps devant le miroir, hypnotisée par ce visage que je connaissais pourtant bien, je me regardais droit dans les yeux, fixant ce regard comme pour l'éclaircir, le polir et le rendre presque transparent, et j'ai commencé à voir ce que je n'avais jamais vu, ou plutôt ce que je n'avais jamais osé voir, et c'est comme si je me dédoublais, comme si la petite Ève m'apparaissait, son visage triste, pur, immaculé, presque vide, sans vie, ce visage était là devant moi, et j'ai cherché pendant tout ce temps à aller plus loin encore, et tout ce que je voyais ce matin-là était vu sous une autre forme, par d'autres yeux, il se passait en moi quelque chose de bien étrange comme si tout à coup j'avais de moi-même un autre point de vue, que je me voyais d'un angle très différent, disons de l'extérieur ou en plan éloigné, comme si je prenais une distance face à moi-même, et bien des choses s'éclaircissaient, j'étais plus lucide, plus objective, projetée dans une autre dimension, soudain vidée de tout sentiment, de toutes mes émotions, mon passé me laissait froide, puis j'ai commencé à me maquiller, en y allant très lentement et un peu maladroitement, j'en avais perdu l'habitude, j'en tremblais presque, comment peut-on désapprendre en quelques mois ce que l'on a fait mécaniquement pendant des années, surtout que dans mon cas, ça avait été une pratique quotidienne, puis quand j'eus fini, j'ai regardé ce visage devant moi et je me suis imaginé un court instant qu'il y avait quelqu'un d'autre dans le miroir et que ce quelqu'un n'avait plus de signification, du moins qu'il ne correspondait plus à ce que j'étais devenue après ces mois de folie et de délire, ce déséquilibre qui m'avait fait perdre toute emprise sur moi-même, sur ce que j'avais été depuis ma naissance, ce fut donc pour moi un moment terrible, j'ai eu peur, j'ai paniqué, je me suis caché le visage dans les mains, puis sans perdre une seconde j'ai pris une crème démaquillante, j'ai tout enlevé, tout effacé, je préférais rester ainsi, en noir et blanc plutôt qu'en couleur, et quand il n'est resté plus aucune trace de maquillage, je me suis regardée encore une fois, très longuement, et là, j'ai souri, c'était bien moi qui souriais, c'était un visage plus vrai, moins inconnu, et il y avait quelque chose d'intime dans ce regard, et cela me touchait, me rejoignait quelque part dans le plus profond de moi-même, j'ai soupiré, j'étais soulagée, puis je me suis habillée, je suis descendue à la cafétéria, j'ai pris un copieux repas, j'étais affamée, je dévorais tout, les autres patients me regardaient, ils n'en revenaient pas de me voir bouffer comme si je n'avais rien mangé depuis des jours, c'était bon, puis après le déjeuner je suis allée m'asseoir dans un coin, j'ai fumé comme une cheminée, j'étais nerveuse, anxieuse, j'avais hâte de revoir Catherine, de lui parler, parler, parler, sans arrêt, j'avais beaucoup de choses à dire, je ne faisais que regarder l'heure, ça ne passait pas assez vite à mon goût, et quand ça a été l'heure, je suis montée au bureau de Catherine, la porte était barrée, j'ai frappé, pas de réponse, j'ai fait les cent pas dans le couloir, je me demandais ce qu'elle faisait, d'habitude elle était toujours à l'heure, j'ai fumé encore, puis au bout de quelques minutes j'ai entendu des bruits de pas, je me suis retournée, elle était là, là-bas, à l'autre bout du couloir, alors je ne sais pas ce qui m'a pris, je suis partie à courir comme une vraie folle, je riais et je pleurais, Catherine me regardait d'un œil étrange, elle devait sûrement se demander si je n'avais pas perdu la tête, je lui ai sauté dans les bras, je l'enlaçais, l'embrassais, euphorique, excitée comme une petite fille de cinq ans qui retrouve sa maman après des jours d'absence, Catherine trouvait ça drôle, puis une fois dans son bureau, on a jasé un peu, et je lui ai demandé si elle avait toujours mon dessin de l'homme-lion, elle a dit oui, je lui ai dit que je voulais le voir, elle a ouvert un tiroir du classeur, elle a fouillé dedans, puis elle m'a remis mon dessin, je l'ai regardé très attentivement, dans les moindres détails, ligne après ligne, couleur après couleur, et dans ce portrait-robot de l'homme-lion j'ai retrouvé toute ma vie, toute mon enfance, toutes mes peurs et mes angoisses, tous mes rêves et mes cauchemars, j'ai réentendu toutes sortes de bruits, et même la voix de maman, j'ai fermé les yeux, une image m'est revenue, j'étais là dans ma chambre, seule dans la nuit, comme emprisonnée entre quatre murs, séparée de ma mère et, à travers elle, du reste du monde et surtout de la réalité, et en me revoyant j'ai eu mal, si mal, mais je n'ai pas pleuré, non, cette image m'a plutôt secouée, alors j'ai ouvert tout grand les yeux, j'ai regardé l'homme-lion une dernière fois, puis j'ai déchiré le dessin en mille morceaux, j'en ressentais du plaisir, j'en jouissais, de longs frissons me parcouraient le corps, et Catherine m'a observée sans dire un mot, puis je me suis levée, j'ai tout jeté à la poubelle, je suis revenue m'asseoir, je me suis calmée, Catherine m'a demandé pourquoi j'avais fait ça, j'ai dit que je n'aimais plus ce dessin, que je n'aimais pas ce qu'il représentait, et j'ai crié, j'étais tellement convaincue que je l'avais tué, cet homme, je le déteste, il a tué ma mère, il a voulu me tuer moi aussi, je me suis relevée, j'ai fait les cent pas, puis j'ai demandé à Catherine si elle avait eu des nouvelles de la police, Catherine a juste dit qu'ils continuaient toujours les recherches, qu'ils avaient une copie de mon dessin et que peut-être ça les aiderait à l'identifier et à l'arrêter, c'est un monstre, cet homme, que j'ai hurlé, tout le mal qu'il nous a fait à ma mère et moi, Catherine m'a aussitôt demandé si tous les hommes étaient comme lui, mais je n'ai pas répondu à cette question, puis je suis restée debout devant la fenêtre à regarder tomber la neige, ça m'a calmée, Catherine m'a dit un peu plus tard que nous n'avions plus maintenant aucun dessin de cet homme, je lui ai répondu que je lui en ferais un autre parce que ce portrait-robot ne correspondait plus tout à fait à l'homme que j'avais vu quand j'étais petite, qu'il n'était pas exactement comme ça, alors Catherine m'a demandé en quoi il était différent, mais j'ai été incapable de répondre, j'essayais de le revoir mentalement, j'y arrivais pas, tout était confus, puis j'ai dit, je ne suis pas capable de le décrire, juste de le dessiner, Catherine a acquiescé, elle a dit tout doucement, il y a des choses qu'on exprime mieux par le dessin que par la parole, ou réciproquement, tout dépend de chacun, des circonstances, de nos habiletés, de ce que l'on ressent intérieurement, et comment exprimer tout ça, comment le dire, le communiquer, voilà la question, et j'ai demandé à Catherine si elle avait du papier et des crayons, elle a dit oui, j'aimerais essayer de le dessiner cet homme, oui, Catherine, dès maintenant, car si j'attends trop longtemps, je risque de le perdre, j'ai peur qu'il s'enfuie de ma mémoire, il est là tout entier dans mes souvenirs, toute ma vie est pleine de lui, Catherine est allée chercher des feuilles et des crayons, je me suis installée à une petite table dans le bureau et j'ai commencé à dessiner, en fait, je n'ai fait que ça ce jour-là, le lendemain aussi, puis pendant au moins une semaine, du matin au soir, sans arrêt, obsédée, folle, je dessinais partout, dans ma chambre, chez Catherine, à la cafétéria ou à l'atelier, j'en avais mal aux doigts, mon poignet droit était enflé, c'est à peine si je pouvais bouger la main, je n'arrêtais pas, mais de dessin en dessin je n'arrivais jamais à le retrouver, à le représenter exactement, il y avait toujours un petit quelque chose qui n'allait pas, un simple détail parfois, ce n'était jamais le visage que je cherchais, il manquait un je ne sais quoi dans le regard, puis un après-midi j'ai dit à Catherine que j'arrêtais, que je ne pouvais aller plus loin, j'étais aux limites, rendue à bout de forces, vidée de lui, de tous les souvenirs que je gardais de cette bête méchante, alors nous avons compté les portraits-robots, il y en avait tout près d'une centaine, tous différents, en noir et blanc et en couleur, représentant des hommes de toutes les races, de tous les âges, aux multiples visages de forme les plus diverses, certains tristes ou gais, vides, anonymes, cheveux courts ou longs, des blonds, des noirs, des châtains, des tempes grisonnantes parfois, des chauves aussi, avec ou sans moustache, barbus même, aux yeux bruns, bleus, pers, des lunettes pour certains, des chapeaux pour d'autres, mais tous sans amour, Catherine les a regardés, puis elle m'a dit qu'ils étaient dans l'ensemble assez différents du premier portrait-robot que j'avais fait, oui, l'homme-lion, je le revoyais encore, mi-homme, mi-animal, tandis que tous ceux que j'avais sous les yeux étaient des hommes, rien de plus, rien de moins, et j'ai réfléchi à tout ça, lequel est le bon, lequel est le vrai? m'a demandé Catherine, lequel va-t-on remettre aux policiers? j'ai dit aucun, pourquoi? m'a demandé Catherine, parce qu'il n'est pas là, dans cette pile de dessins, ni nulle part ailleurs, il n'existe pas, que j'ai dit, il n'a jamais existé, et l'homme-lion, lui, que Catherine a dit, il est où, si tous les hommes n'ont jamais eu de pouvoir sur toi, lui, l'homme-lion, est-ce qu'il en a déjà eu, cet homme à la crinière jaune, il se cache sûrement quelque part, alors tout en écoutant Catherine me poser toutes ces questions, j'ai commencé à pleurer, pas beaucoup, juste un peu, parce que l'homme-lion ou quelqu'un d'autre lui ressemblant était en train de mourir en moi, et j'ai dit à Catherine, des sanglots dans la voix, t'as raison, c'est vrai, les hommes ont toujours eu du pouvoir sur moi et, à travers eux, toute la maudite société, le monde entier s'est écrasé sur moi toute ma vie, m'empêchant de souffler, de vivre, d'être ce que je suis, j'ai toujours été à la merci des hommes depuis que je suis enfant, à commencer par tous ceux que ma mère faisait entrer dans notre maison, tous ceux qui la payaient, la baisaient, la violaient, et c'est comme si en même temps ils me violaient moi aussi nuit après nuit, oui, ils m'ont tuée lentement, ils m'ont eue à l'usure, avec le temps, tranquillement, ils n'étaient pas pressés, oui, c'est incroyable tout le pouvoir qu'ils avaient et, pendant toutes ces années, j'ai vécu avec l'illusion que c'était moi qui avais la main haute sur eux, alors j'ai pris les dessins, je les ai regardés, toute l'énergie que j'avais mise là-dedans, tout ce temps gaspillé, j'étais furieuse, j'ai commencé à les déchirer, un à un, puis comme ça n'allait pas assez vite, par dizaines, et j'ai foutu toute cette merde à la poubelle, j'ai dit à Catherine d'avertir les policiers de cesser leurs recherches, cet homme-lion n'est nulle part ailleurs qu'en moi, caché dans un coin sombre de ma tête, et une nuit viendra où je le trouverai, il sera là devant moi, je n'aurai pas d'autre choix que de l'affronter et de le tuer une fois pour toutes, à tout jamais, puis la séance s'est terminée et je me suis aussitôt couchée tellement j'étais épuisée, et quand je me suis réveillée, c'était la nuit, je me suis levée et je suis allée à la fenêtre où j'ai fumé plusieurs cigarettes, il n'y avait que le neige, les étoiles et les lumières de la ville au loin, j'ai pensé à toutes sortes de choses, j'ai même eu l'idée de m'habiller et de sortir, d'aller marcher, marcher sans arrêt jusqu'à la fin de mes nuits, je me suis demandé si mes clients avaient encore un quelconque désir de moi, s'ils avaient de temps à autre une pensée pour moi et si, en fin de compte, je faisais toujours partie de leurs rêves, mais je me suis dit qu'après tout ce temps ils m'avaient sans doute oubliée et remplacée par une autre, ce n'est pas la chair fraîche qui manquait à l'hôtel ou ailleurs, il y en aura toujours sur le marché, je ne suis pas unique, et en revoyant tout cela bien ancré en moi comme des souvenirs cicatrisés dans ma chair, j'ai eu envie de vomir, comment ai-je pu faire pour m'enliser dans cette jungle sans voir quoi que ce soit, fouillant de plus en plus chaque nuit dans ma propre blessure et y prenant presque un certain plaisir, puis je suis retournée dans mon lit, je me suis caressée jusqu'à ce que je pousse quelques petits cris, mais c'est à peine si j'ai joui, je ne savais pas d'ailleurs ce que cela signifiait, car j'avais, en réalité, si peu joui dans ma vie et de la vie, et avant de m'endormir j'ai demandé à maman de m'aider, chose que je n'avais jamais osé faire depuis mon enfance, car tout à coup je me suis sentie si seule, si nue, si dépourvue de tout, comme si tout ce que j'avais construit pour me défendre et me protéger n'était plus que de la fine poussière, c'est là que j'en étais, seule dans le désert, et tout autour il n'y avait que du vide, comment ferais-je pour m'en sortir? mais quinze jours plus tard, en revenant de l'atelier, j'ai trouvé sur le plancher de ma chambre une enveloppe que quelqu'un avait glissée sous la porte, il y avait mon nom dessus et, à l'intérieur une belle carte de la Saint-Valentin avec deux gros cœurs rouges, j'ai tout de suite pensé à Catherine, mais en ouvrant la carte, c'était écrit tout simplement joyeuse Saint-Valentin, Ève, et c'était signé Adam, je ne savais trop comment réagir, sur le coup j'ai ri, mais dans le fond j'avais juste envie de brailler, ça me faisait tellement plaisir que quelqu'un pense à moi et se donne la peine de m'envoyer une carte le jour de la fête des amoureux, mais j'étais intriguée, qui me l'avait envoyée, qui était-ce Adam, Adam qui? et qu'est-ce qu'il faisait dans cet hôpital, et pourquoi Adam, pourquoi pas un autre nom? à moins que ce soit un surnom, on voulait sûrement se moquer de moi, me faire marcher, et j'ai pensé à Adam et Ève dans le paradis terrestre au commencement des temps, les premiers amoureux du monde sous le pommier, et cela m'a fait rire comme une folle, je me roulais presque par terre tellement c'était drôle, et j'ai caché la carte sous mon oreiller comme si c'était quelque chose de précieux, un véritable trésor, mais tout au long de la journée je n'ai cessé de la regarder, c'était vraiment irrésistible, la tentation était trop grande, et plus je la regardais, plus j'étais toute à l'envers, comme si c'était la première carte de ma vie que je recevais, puis le soir avant de me coucher, je l'ai encore regardée, et cela m'a fait rêver, je me suis imaginé plein de choses romantiques, je ne pouvais croire que je pouvais être si sentimentale, après tout ce n'était qu'une simple petite carte de la Saint-Valentin, je me voyais entre autres avec mon prince charmant dans un beau château, tous les deux vêtus de blanc, avec plein de fleurs dans les cheveux et le corps recouvert de bijoux de grande valeur, et toutes ces images qui me traversaient l'esprit me rappelaient grandement les nuits de mon enfance où la plupart du temps j'étais à des années-lumière de ce monde, perdue dans mes rêves, et tout de suite le lendemain, quand j'ai rencontré Catherine, je lui ai montré la carte, et nous avons ri toutes les deux, puis elle m'a demandé si j'avais une petite idée de celui qui me l'avait envoyée, je lui ai dit non, et je lui ai même demandé si ce n'était pas elle, mais elle a dit que d'habitude elle signait ses cartes de son vrai nom, c'était le grand mystère, puis nous nous sommes amusées à essayer d'identifier celui qui se cachait derrière Adam, peut-être un membre du personnel, un infirmier, un cuisinier, un préposé à l'entretien ou, un coup parti, pourquoi pas un médecin, on ne sait jamais, c'est déjà arrivé que des médecins s'amourachent de leurs patientes, ce n'est pas défendu, c'est humain, à moins que ce soit un interné, en particulier trois ou quatre qui m'avaient à l'œil, deux sur l'étage de ma chambre, un autre au deuxième et le dernier au sixième, dans l'aile H, mais lequel? et si c'était un autre, puis Catherine m'a posé toutes sortes de questions sur ce que je ressentais à la suite de cet événement, parce qu'il faut bien le dire, le message qui se cachait derrière cette carte signifiait beaucoup pour moi, ça me remuait intérieurement toutes sortes d'émotions et de sentiments, ça me plongeait la tête la première au creux de mes problèmes, tellement que j'ai dû avouer à Catherine que j'en avais presque pas dormi de la nuit, et pourtant ce n'était ni de la souffrance ni de la peine, seulement quelque chose de très agréable, de très bon, un élément positif, comme le disait Catherine, mais toute cette joie m'avait autant bouleversée et abattue que toute la souffrance que j'avais connue, j'en éprouvais autant de peur et d'insécurité, comment un petit bout de papier avait pu me mettre dans un état pareil, et, en sortant du bureau de Catherine, je n'avais qu'une idée en tête, le retrouver, connaître son identité, un homme, c'est bien beau, mais lequel, il y en avait des centaines dans l'hôpital, et tout en me rendant à ma chambre j'ai presque dévisagé tous les hommes que j'ai rencontrés, si bien qu'il y en a qui m'ont souri en me faisant les yeux doux, où était-il cet homme, le premier homme, et pourquoi ne me donnait-il pas de ses nouvelles? un grand timide, peut-être même un type un peu spécial, mystérieux jusqu'à la moelle, un poète romantique perdu dans son monde, aussi dérangé que moi, ou peut-être plus encore, qui se prend vraiment pour Adam et qui, en apprenant mon nom, se croit vraiment de retour dans le jardin d'Éden, oui, un fou qui recherche l'une de ses semblables, les fantômes d'Adam et d'Ève revenus hanter les temps modernes, complètement déboussolés, égarés sur la planète, comme s'ils avaient dormi pendant des millénaires et qui soudain, en se réveillant et en se regardant, ne se reconnaissaient plus, et pensant à tout ceci, je riais à tue-tête, mon rire résonnait partout dans l'hôpital, et même au-delà, jusque dans les murs de la ville, et plus je riais, plus je m'imaginais devenir complètement folle, mais d'une folie si grave et si profonde que l'on n'en revient jamais plus, et une fois couchée, j'ai réfléchi sérieusement à toute cette affaire, je me demandais ce que Catherine pensait de toute cette histoire, Adam et Ève, deux fous à lier enfermés à l'asile, deux bêtes préhistoriques, dangereuses, sauvages, en quête du paradis perdu là où le monde s'est mis en branle, puis j'ai pris un petit miroir et je me suis regardée, bien comme il le faut, fixant ce visage, y cherchant un signe quelconque annonçant la folie pure à venir, oui, toute la question est là, que je me suis dit, t'es peut-être en train de sombrer dans les abysses de la folie, non pas seule cette fois-ci, mais avec cet homme qui cherche à t'amener dans son monde, sans doute un schizophrène qui, après sa petite enquête sur ton compte, croit fermement, dur comme fer, que tu es la réincarnation de la première femme, l'Ève du Nouveau Monde, mère d'entre toutes les mères, la matrice de l'Univers, la génératrice de la planète, Ève, toute l'humanité se retrouvant en toi, et cet Adam en est convaincu, il ne manque que les pommes et le serpent venimeux, et j'ai encore ri même si cela relevait de plus en plus de la tragédie grecque, qu'est-ce qui va m'arriver maintenant avec cet homme, qu'est-ce qui va se passer entre lui et moi, la fuite à deux dans un monde hors du temps, ou encore pire, le retour vers le passé, et, par le fait même, mon comportement de putain va revenir et toute ma souffrance ressurgir, et lui, s'il ne se prend pas pour Adam, s'il n'est pas Adam, comment va-t-il se conduire envers moi? peut-être exactement comme tous les hommes que j'ai connus, et en disant cette phrase, j'ai pris conscience que même si j'en avais connu des milliers, dans le fond j'en avais connu aucun, c'était l'inconnu pour moi, toute l'humanité, en somme, m'était étrangère, j'avais toujours plané en surface, évitant les plongeons, refusant le partage, le don de soi et la connaissance de l'autre, parce que j'étais finalement restée toujours enfermée dans ma chambre d'enfant, et ce soir-là, en me couchant, j'ai quand même espéré du fond de mon cœur que ce premier homme me donne enfin la chance de m'ouvrir, à travers lui, au monde entier, qu'il soit en quelque sorte un pont qui me conduise vers les autres, oui, je désirais tant aimer et être aimée pour ce que je suis, car, même si je l'avais nié toute ma vie, il y avait malgré tout quelque chose de bon et de solide en moi, une richesse insoupçonnée, cachée, éprouvée, violée, atteinte dans sa sève, mais toujours conservée dans son essence même et prête à jaillir au grand jour, oui, j'ai espéré tellement ce soir-là que cet homme soit différent de tous les autres, unique en son genre, construit à un seul exemplaire, et qui me permette, en m'accueillant et en s'ouvrant à moi, de faire mes premiers pas sur ce pont, le grand pont de l'humanité, et je me suis endormie avec l'idée que la vie n'était pas sans espoir, et quelques jours ont passé, j'étais toujours sans nouvelles de lui, je ne désespérais pas, mais je n'en faisais pas de cas, peut-être que ce n'était qu'une mauvaise plaisanterie, avec tous les originaux de mon espèce rassemblés dans ce lieu, il fallait s'attendre à tout, et j'ai même pensé à l'homme-lion, si c'était lui qui m'avait retrouvée et qui, sous ce nom d'emprunt, m'avait fait parvenir cette carte, mais je n'ai pas eu peur en entrevoyant cette possibilité, parce que je savais maintenant que l'homme-lion n'était nulle part ailleurs qu'en moi, puis un soir de tempête, je suis allée me promener dehors, il y avait de fortes rafales, de la poudrerie, la neige virevoltait, quel spectacle! c'était si beau, j'étais tellement bien, je me sentais habitée d'une grande joie, toute cette blancheur, cette pureté infiniment immaculée, ça me rappelait mon enfance quand j'allais jouer dans la neige en inventant toutes sortes de jeux aussi farfelus les uns que les autres, et j'ai marché un bon bout de temps, m'enivrant de ce simple bonheur d'enfant, je me croyais seule sur terre, l'air frais me remplissant les poumons, quelle liberté, quelle merveilleuse sensation de bien-être, le paradis retrouvé, comme si je flottais, comme si je marchais sur des nuages, si légère, il n'y avait que le souffle du vent et mon propre souffle, que mon ombre se perdant dans la blancheur des cieux, et s'il n'avait pas fait si froid, j'aurais marché toute ma vie, mais au moment où j'allais rentrer, j'ai entendu un autre souffle, ce n'était ni le mien ni celui du vent, oui, j'ai entendu des bruits, *de tout petits bruits, très discrets, très lointains, à peine perceptibles, des bruits comme tant d'autres, des bruits qu'on entend depuis toujours, depuis que le monde est monde, de la naissance à la mort, des bruits parmi tant d'autres, ni nécessairement plus beaux, ni nécessairement plus parfaits, des bruits, tout simplement des bruits, oui, ça a commencé comme ça, par des bruits de pas, des pas lents, lointains, presque inaudibles, comme venus d'ailleurs, non pas menaçants, oh! non, et ces pas étaient derrière moi, me suivaient, s'arrêtaient, revenaient pour me poursuivre dans cette si belle nuit d'hiver, ces pas incessants, ces pas semblables à tous ceux que j'avais entendus maintes et maintes fois, ces bruits de pas perdus dans la nuit étaient exactement comme tous les autres bruits de pas que j'entendais à toute heure du jour, de même rythme et aucunement différents, ils faisaient partie de la vie et de la mienne, ils se confondaient au décor et à l'atmosphère de cette nuit si froide, ce n'étaient que des bruits, rien de plus, rien de moins, et à un certain moment ils ont attiré mon attention, mais au premier regard, au moindre coup d'œil, ils se sont tus, puis au bout de quelques instants ils sont revenus, toujours derrière moi et venant vers moi, et ces pas ne cessaient de me pourchasser, de me hanter, de m'exaspérer, de m'angoisser,* alors, au lieu d'accélérer le pas, je me suis retournée, et j'ai vu une ombre dans toute cette blancheur, l'ombre d'un homme, mais à cause de toute cette neige qui tombait du ciel, je ne pouvais voir son visage, et l'homme s'est avancé vers moi, j'ai fait un pas en arrière, j'ai senti monter en moi toute l'angoisse de mon enfance, toutes mes peurs qui soudain m'étouffaient, je suis devenue tendue comme un arc, tout se raidissait en moi, je sentais que j'allais bientôt éclater, mais l'homme s'est arrêté, il m'a souri, je ne savais pas trop comment réagir, puis il s'est approché de moi, tout était au ralenti comme dans un vieux film en noir et blanc, j'ai reculé, mais j'avais maintenant moins peur, car on aurait dit que tout à coup je pouvais affronter n'importe qui, n'importe quoi, c'est pourquoi je suis restée immobile, je n'ai même pas cherché à fuir, j'ai décidé de rester là devant lui, puis il a dit quelque chose que je n'ai pas entendu à cause de ce vent qui hurlait comme une meute de loups affamés, je me suis touchée l'oreille pour lui signifier que je n'avais pas compris, il s'est avancé encore, nous étions face à face, je pouvais mieux le voir, il me regardait droit dans les yeux, il a dit en riant qu'il s'appelait Adam et il m'a demandé si j'avais reçu sa carte de la Saint-Valentin, j'ai fait signe que oui, je lui ai dit merci, ça m'a fait plaisir, mais je me sentais tellement gênée, mal à l'aise, dépourvue de tous mes moyens, j'ai commencé à paniquer, mon cœur faisait cent tours à la minute, j'avais les mains moites, je claquais des dents, alors j'ai dit à Adam, j'ai froid, je dois rentrer, puis je me suis mise à courir comme une vraie folle, comme une petite fille qui vient de rencontrer le méchant loup dans la forêt, je suis entrée à l'intérieur, j'ai fermé la porte, mais je me suis cachée derrière celle-ci, dans la semi-pénombre, et j'ai regardé dehors, Adam était toujours là, mais on le voyait à peine avec toute cette poudrerie, puis il s'est éloigné, je n'ai vu que son ombre sous la lumière d'un réverbère, rien que son ombre qui se perdait dans la nuit, je suis restée là encore un moment, je ne savais trop quoi faire, j'ai même pensé retourner dehors et courir vers lui pour le retrouver, le rejoindre dans cette si belle nuit où le ciel semblait égrener toutes les étoiles de la galaxie, mais j'étais tellement mêlée dans mes émotions, je n'avais plus aucun contrôle sur moi-même, alors je suis montée à ma chambre, dans tous mes états, presque affolée, je ne m'appartenais plus, j'ai enlevé mon manteau que j'ai jeté sur le lit, j'ai pris une cigarette que j'ai eu de la difficulté à allumer tellement je tremblais, non seulement parce que j'étais transie de froid mais surtout parce que j'étais extrêmement nerveuse, profondément déséquilibrée, puis j'ai accouru à la fenêtre et j'ai regardé dehors, mais on ne voyait ni ciel ni terre, j'aurais tellement aimé apercevoir Adam, ne fût-ce qu'une fraction de seconde, parce qu'avec cette fraction de seconde j'aurais pu me construire une montagne de rêves, j'ai fini ma cigarette, j'en ai rallumé une autre, je me suis mise à faire les cent pas, j'avais l'air d'un fauve en cage, je ne savais vraiment plus ce qui m'arrivait, je serrais les poings, je me mordillais les doigts, je fulminais de rage, je me maudissais, je me traitais de tous les noms, merde que je me détestais! j'avais si honte de moi, je m'étais conduite comme une espèce de petite conne, comme une fillette de cinq ans, oh! mon Dieu qu'est-ce que j'aurais donné pour avoir Catherine à mes côtés? je n'arrivais pas à comprendre pourquoi j'avais réagi ainsi, après tout ce n'était qu'un homme, un homme que je ne connaissais pas, à qui je ne devais rien, peut-être plus bourré de problèmes que moi, et avec tous les hommes que j'avais rencontrés dans ma vie, tous ces hommes que j'avais ramassés aux quatre coins de la ville pour assouvir leurs bas instincts, avec lesquels j'avais agi comme l'être le plus dégueulasse de la planète, sans aucun respect pour moi-même et pour la vie, qui m'avaient poussée à faire les conneries les plus bestiales que même la truie la plus truie de toutes les porcheries du monde n'avait jamais osé faire, comment ai-je pu avoir un tel comportement face à cet homme qui était peut-être celui qui me voulait le plus grand bien et qui n'avait sans doute que de l'amour à m'offrir, ah! je me sentais si coupable, j'avais tellement de mépris pour ce que j'étais, un être si affreux, si stupide, alors je me suis jetée sur le lit, tout mon corps crispé, les mains enfoncées dans le matelas, déchirant les draps, braillant, bavant toute l'écume de ma chair, j'en tremblais tellement l'angoisse me débauchait par en dedans comme par en dehors, et comme j'étais sur le point de faire une violente crise, je me suis levée et précipitée vers la fenêtre que j'ai toute grande ouverte, j'ai pris de bonnes et de longues respirations, j'ai fermé les yeux et j'ai essayé de me détendre, de relaxer, comme me l'avait montré Catherine, en respirant lentement et profondément, tout en faisant le vide, puis peu à peu le silence est venu, oui, le silence salvateur, le grand silence qui apaise le corps et l'esprit, qui domine tout jusqu'à l'âme, et je me suis laissée aller complètement, concentrée par ce qui se passait en dedans de moi, tout se dégageait comme après un orage, ça s'éclaircissait de fond en comble, je me démêlais, je défaisais les nœuds un à un, le silence prenait de plus en plus de place, et au bout d'un moment je n'entendis que le battement de mon cœur, comme s'il n'y avait que ça qui m'animait, puis, au loin, comme un chant plaintif, le sifflement du vent, ce vent froid qui soufflait sur mon corps, c'était bon, cette fraîcheur dissipait toute ma fièvre, et je suis restée ainsi, sans bouger, devant la fenêtre grande ouverte sur le paysage blanc comme une toile vierge, puis quand j'ai senti que j'allais mieux, j'ai ouvert les yeux, j'ai remarqué que j'avais la chair de poule même s'il y avait plein de chaleur en moi, mais il s'agissait d'une chaleur venue d'un autre monde, peut-être de mon propre monde, un univers à l'intérieur de moi mais qui m'était totalement étranger, que je découvrais et apprivoisais de jour en jour, et qui renfermait tout ce que j'avais vainement cherché toute ma vie, je veux dire ce silence bienfaiteur appelé communément la paix intérieure, celle qui permet d'être en équilibre dans sa peau, et comme j'allais fermer la fenêtre, soudain j'ai aperçu au loin une silhouette, la silhouette d'un homme, peut-être même Adam, puis la silhouette est devenue une ombre qui s'est engouffrée dans la blancheur, je suis allée m'étendre sur le lit, je n'avais plus qu'une idée fixe, Adam, personne d'autre que lui m'habitait, je le revoyais, son regard gris fixé sur moi, ses grands yeux bleus s'ouvrant sur l'infini, son sourire blanc d'où jaillissait ma joie, Adam partout dans mes rêves, et j'ai continué à m'imaginer plein de choses, je nous voyais tous les deux courant dans des champs blonds blessés par la lumière, je nous voyais tous les deux couchés dans l'herbe et enfouis dans nos rêves, je nous voyais tous les deux découvrant les étoiles en sortant de nos nuits de brouillard, je nous voyais tous les deux unis par la même folie d'aimer dans l'au-delà de l'amour où plus rien n'existe, ni le temps ni l'espace, comme projetés dans une autre dimension inconnue des hommes, et c'est en me perdant de plus en plus dans toutes ces images que j'inventais et que j'intériorisais pour être certaine de ne plus jamais les oublier, que j'ai fini par trouver le sommeil, et quand je me suis réveillée le lendemain, il était encore très tôt, le soleil pointait à l'horizon, et j'ai remarqué que j'avais dormi toute habillée, je suis allée à la fenêtre, ça faisait longtemps que j'avais vu autant de neige, déjà les charrues s'affairaient autour de l'hôpital, au loin la ville allait bientôt reprendre son rythme effréné, et je me souvenais de tous ces matins où j'étais rentrée chez moi, blanche comme un drap, avec la gueule de bois, complètement déprimée par la nuit d'enfer que je venais de vivre, j'en avais des blancs de mémoire tellement l'alcool et la drogue avaient fait leur effet, mais en revoyant toute cette merde dans laquelle je me complaisais et qui, jusqu'à une certaine limite, me procurait un plaisir qui était toujours de courte durée, j'ai eu encore l'impression et la sensation de revoir et de revivre une autre vie que la mienne, comme si j'étais de plus en plus à l'extérieur de cet état de choses qui me minait entièrement et efficacement, et je me demandais si je n'étais pas en quelque sorte déjà morte et à peine réincarnée dans un autre corps, avec une autre identité et surtout, oui surtout, avec un autre visage, puis j'ai fait mon lit et un peu de ménage dans ma chambre et dans ma tête, encore hantée par tous ces souvenirs qui surgissaient de ma mémoire comme venus de cette autre vie qui se désagrégeait, et cela me réjouissait et m'attristait à la fois, j'en ressentais beaucoup de nostalgie, tout ce que j'avais été était réduit à rien, comme les vestiges d'une autre civilisation, avec tout ce qui me restait à construire, morceau après morceau, vis après vis, tout cela me décourageait, mais après avoir passé un bon quart d'heure sous la douche, j'ai fini par tout oublier, Adam est revenu dans mes pensées, et j'ai eu un petit vertige quand j'ai envisagé la forte possibilité de croiser Adam à la cafétéria, quoi lui dire? comment l'éviter? je ne serais jamais capable de l'affronter, de le regarder en pleine face, puis je suis remontée à ma chambre, je me suis un peu maquillée, mais sans exagération, pour être certaine de me reconnaître dans le miroir, j'ai mis une robe, pour seulement la deuxième fois depuis mon internement, j'ai écouté un peu de musique, j'ai feuilleté une revue, puis je suis descendue à la cafétéria, un peu chancelante, j'étais aux aguets, et ça m'a soulagée quand j'ai vu que la cafétéria était presque vide, j'ai regardé partout pendant que l'on me servait, aucune trace d'Adam, et quand je me suis rendue compte que la table du fond derrière les colonnes était vide, oh! la belle cachette, sans perdre un instant, je me suis précipitée vers cette table pour être certaine d'avoir une place, et en m'y rendant, j'ai failli lâcher mon cabaret, mais une fois assise, j'ai été rassurée, j'ai mangé en vitesse, puis j'ai pris un journal qui traînait sur une table et je me suis mise le nez dedans, de cette manière, j'étais certaine que si jamais Adam venait à la cafétéria il ne me trouverait jamais, puis après avoir fumé une cigarette, j'ai déposé le journal sur la table, j'ai pris mon cabaret et je suis allée le ranger, en prenant soin de ne pas regarder autour de moi, mais seulement devant moi et autant que possible le plancher, je suis aussitôt sortie de la cafétéria, j'ai pris l'escalier de service pour être certaine de ne rencontrer personne, et cette personne s'appelait évidemment Adam, mais en arrivant en haut, j'ai aperçu quelqu'un devant la porte de ma chambre, c'était lui, Adam, le premier homme de ma vie, il frappait à ma porte, j'ai sursauté, et quand j'ai tourné les talons, j'ai entendu sa voix, il a crié mon nom, je me suis arrêtée, saisie, je n'avais ni la force ni le courage de me retourner, puis j'ai entendu les pas d'Adam derrière moi, il marchait d'un pas pressé, je me suis dit, tu dois avoir l'air d'une vraie folle, fais quelque chose, reste pas là comme ça, tu vas passer pour une enfant d'école, une conne parmi les connes, alors j'ai fait face à Adam, je devais être rouge comme une tomate, j'ai dit, d'un air étonné, ah! c'est toi, ça va bien, oui, très bien, qu'il a répondu, aussi mal à l'aise que moi, et Adam m'a dit qu'il était venu me chercher pour le petit déjeuner, je lui ai répondu, j'en bégayais presque, c'est déjà fait, j'arrive de la cafétéria, il avait l'air déçu, alors je lui ai dit, mais je prendrais peut-être un autre café, Adam a souri, ça lui a fait sûrement quelque chose en dedans, il avait l'air heureux comme un roi, on y va, qu'il a dit, j'ai dit oui, puis on s'est rendus à la cafétéria, il a commandé son petit déjeuner et moi mon café, puis nous sommes allés nous asseoir, j'ai pris un journal qui traînait sur une table au cas où, puis on a jasé un peu, j'ai dit à peine quelques mots, je l'écoutais, et de temps en temps je tournais les pages du journal, je regardais les photos, je lisais les grands titres, les nouvelles n'avaient pas eu le temps de changer en une demi-heure, et quand Adam m'a dit qu'il trouvait que j'avais un genre, j'ai senti mon cœur faire trois, quatre bonds au creux de ma poitrine, vraiment, Ève, tu es très différente des autres femmes, tu es unique, peut-être est-ce à cause de ton nom, et nous avons ri, et je lui ai dit, toi aussi, tu dois être unique, c'est la première fois que je rencontre un homme qui s'appelle Adam, ça ne court pas les rues, serais-tu parent par hasard avec l'autre? qui ça l'autre? que m'a demandé Adam, tu sais, celui qui mangeait des pommes dans le jardin d'Éden, que je lui ai dit en riant, et Adam s'est esclaffé, tout le monde l'a regardé, en particulier un infirmier, puis j'ai mis le journal de côté, j'ai fumé quelques cigarettes, nous avons parlé de tout et de rien, mais surtout de rien, des choses vraiment inutiles qui nous apprennent strictement rien sur autrui et encore bien moins sur la vie et l'humanité, il n'y avait rien qui concernait les questions de notre temps, la superficialité d'un bout à l'autre, tout ça entrecoupé de longs silences, puis je me suis levée, et j'ai dit à Adam, je dois y aller, j'ai des tas de choses à faire, des choses que je remets depuis une semaine, alors qu'en réalité je n'avais qu'à m'occuper de mon petit nombril, et, avant de partir, Adam m'a dit tendrement, tu sais, Ève, t'as vraiment de beaux yeux, alors là j'ai failli m'évanouir entre deux tables, j'ai juste souri, et pourtant des centaines d'hommes me l'avaient dit bien avant lui, mais venant de lui, c'était différent, puis il a dit, on se reverra, oui, c'est ça, on se reverra, que j'ai dit, et ça m'a été difficile de sortir de la cafétéria, j'avais les jambes molles, j'étais étourdie, et avant de franchir la porte, je me suis retournée, Adam avait les yeux fixés sur moi, il m'a envoyé la main en souriant, et pas n'importe quel sourire, j'ai fait la même chose, puis je suis montée à ma chambre, j'ai ouvert toute grande la fenêtre, j'étais toute en sueur, Adam avait eu sur moi un incroyable effet, et je suis partie tranquillement dans le rêve, ça m'a pris quelques heures avant de revenir sur terre, j'avais perdu tout contact avec la réalité, puis quand j'ai réussi à mettre de l'ordre dans tout ça, je me suis sentie pleine d'énergie, j'avais des tonnes de projets, et dans l'après-midi je suis allée voir Catherine, même si je n'avais pas de rendez-vous, mais elle n'a pas pu me recevoir parce qu'elle avait quelqu'un, elle m'a dit qu'elle pourrait m'accorder un peu de temps si je revenais une heure plus tard, ce que j'ai fait, bien sûr, j'avais tant de choses à lui dire, mais par quel bout commencer? inutile de préciser à quel point cette heure d'attente m'a paru une éternité, puis quand je me suis retrouvée face à elle, j'étais si excitée et si bouleversée que je ne faisais que rire, mais j'ai fini par déballer mon sac, racontant dans les moindres détails ce qui m'arrivait, avec beaucoup de précision, et j'ai dû prononcer le nom d'Adam au moins cent fois, Catherine m'a écoutée tout le temps sans rien dire, à peine quelques questions, de petits sourires, pas plus, elle n'a jamais eu la chance, ce jour-là, de prendre la parole, car la mienne occupait toute la place, mes mots fusaient de toutes parts, j'en avais long à raconter, comme si les événements des derniers jours étaient venus tout bousculer dans mon existence, et à la fin, j'avais la bouche sèche, j'étais à terre, vidée, plus aucun mot ne voulait sortir, je ne faisais que bâiller, c'est tout juste si je parvenais à garder les yeux grand ouverts, pourtant je n'avais pas pris mes médicaments, alors j'ai demandé à Catherine si je pouvais dormir un peu dans son bureau, elle a consulté sa montre, puis elle a dit oui, mais pas plus qu'une heure, j'ai aussitôt rapproché une autre chaise, j'ai mis mes pieds dessus, je me suis recroquevillée et je me suis endormie là, au son d'une douce musique, une musique venue des étoiles, puis quand Catherine m'a réveillée, j'étais assise sur la branche d'un arbre, toute vêtue de blanc, et au loin, je pouvais voir Adam derrière une clôture, j'ai tenté de me souvenir du reste, mais peine perdue, j'avais déjà tout oublié de ce rêve, Catherine m'a demandé si j'avais bien dormi, j'ai dit oui, même si j'étais toute courbaturée, puis avant de partir, j'ai serré Catherine dans mes bras, j'ai caressé son visage comme si j'y retrouvais mon propre visage, toute ma solitude et ma souffrance d'enfant, son visage, comme si j'y voyais s'éteindre toute ma vie, comme si dans la lumière de ses yeux je découvrais enfin ma propre lumière, et j'ai dit à Catherine, je suis en train de mourir en toi et de renaître quelque part en moi, comme si je me détachais de l'obscurité pour entrer en pleine lumière, la pénétrer et la posséder, j'ai pris la main de Catherine et je lui ai dit, tu es venue me chercher lentement, jour après jour, nuit après nuit, même dans mes rêves et dans mes cauchemars, tu étais partout, toujours à l'œuvre, ouvrant des pistes secrètes sans même que je m'en rende compte, et là je commence à grandir, oh! pas beaucoup à la fois, c'est vrai, mais je grandis tout de même, grâce à toi, et je pense que je l'ai touchée quand je lui ai dit ça, quelque part en elle, entre la sève et l'écorce, parce que Catherine avait les yeux pleins d'eau, elle avait l'air d'un saule pleureur, puis je lui ai donné un baiser sur la joue en la suppliant presque de continuer à m'aider à ne plus être petite dans mon cœur, et elle a dit tout simplement, sois sans crainte, Ève, tu peux dormir sur tes deux oreilles, je vais être là, et je suis retournée à ma chambre, j'ai dormi encore un peu avant de descendre à la cafétéria où j'ai revu Adam, et à partir de ce jour-là, c'est terrible à quel point beaucoup de choses ont changé dans ma vie, même le temps s'est mis à défiler à la vitesse d'une fusée qui se détache de la terre et qui laisse derrière elle une longue traînée de poussière et de lumière, le temps de voir la neige fondre sous le soleil éclatant et le vent tiède du printemps, l'hiver avait été si long, que tout le monde le disait à l'hôpital, et même moi, comme si maintenant je prenais peu à peu ma place dans le monde et comme si le monde prenait de plus en plus de place en moi, et la neige passa du blanc au gris et du gris au noir, et à la fin d'avril il ne restait plus que quelques flaques d'eau dans le jardin où j'allais de plus en plus souvent, seule ou encore avec Adam, puis un matin j'ai remarqué que tous les arbres étaient pleins de bourgeons et qu'il faisait de plus en plus chaud et que la lumière était maintenant si vive qu'une fois en me regardant dans le miroir, j'ai vu que j'avais le visage tout rougi, le nez plus que tout le reste, et cela m'a donné envie de passer de plus en plus de temps dehors et de moins en moins en dedans, et un après-midi, au début du mois de mai, je suis allée faire un petit tour dans le jardin, c'était si beau, toute cette lumière uniquement que pour moi, un vrai cadeau du bon Dieu, il y avait juste une bonne petite brise comme je les aime, ça sentait bon l'air pur, l'air frais, et tout ce parfum qui se dégageait des feuilles, des fleurs et de l'herbe, c'était d'une ivresse rare, et dans ce jardin, le plus beau au monde, j'ai regardé longuement les arbres, les uns après les autres, très très longtemps, puis tous ensemble, et c'est comme si c'était la première fois de ma vie que je voyais des arbres, comment est-ce possible à mon âge? je veux dire que je les voyais comme ça, avant je les voyais différemment ou je ne les voyais pas du tout, peut-être parce que pour moi ils n'existaient pas, j'étais ailleurs, mais cet après-midi-là, ah! tous ces arbres, de les voir comme ça devant moi, autour de moi, dressés dans la lumière, comment est-ce possible, découvrir les arbres à mon âge? incroyable, mais vrai, et j'ai ressenti tellement de joie, d'harmonie, d'amour, rien qu'à regarder ces arbres, je les trouvais tellement beaux, grands, forts, uniques au monde, pourtant Dieu sait que dans ma vie j'en ai vu, des milliers, mais jamais de cette manière-là, jamais par ces yeux-là, cette façon de voir les choses, de les ressentir, de les connaître, car pour moi, les arbres c'était là, ça faisait partie du paysage, pas plus, j'en n'ai jamais fait de cas, mais ce jour-là, ah! quel moment intense de grand bonheur, et j'ai compris du même coup que j'avais passé souvent tout droit, non seulement à côté des arbres, mais aussi à côté de beaucoup de choses essentielles, peut-être parce qu'il y avait en moi trop de brouillard, et dans ce brouillard, comment voir en moi et autour de moi, comment me connaître et me reconnaître? et plusieurs fois en ce mois de mai des grandes découvertes de la vie en toute chose et en chaque être, je suis allée retrouver mes arbres, comme on retrouve des amis qui nous sont chers, et j'ai passé encore de longs moments à leur tenir compagnie, partageant leur silence, me l'appropriant, j'étais si émue devant tant de beauté et tant de sagesse, ils étaient aussi seuls que moi, mais cette solitude avait quelque chose de salutaire, et je ne pouvais croire que c'était moi, Ève, qui était là, la fille qui avait traîné toute sa douleur et sa tristesse sur ces longs trottoirs qui mènent à des chambres sans issue et renfermant une blessure à fleur de peau, et pourtant, c'était bien moi qui étais là, jouissant du temps présent et m'émerveillant de ces riens qui font que ce temps présent signifie que la vie vaut la peine d'être vécue, cette vie que j'avais pourtant détestée avec tant de haine et tant de mépris, cette vie qui m'avait fait tellement mal que j'avais cherché par tous les moyens de la détruire, cette vie, en ce joli mois de mai, commençait à éveiller en moi une folle envie d'aimer, n'importe quoi, n'importe qui, que ce soit un arbre, un être vivant ou un simple caillou ramassé sur le bord du chemin, Adam en était venu à partager de plus en plus avec moi tout ce qui m'amenait à cheminer intérieurement, nous perdions tout notre temps à nous découvrir jusque dans nos souvenirs d'enfance et à nous approfondir dans ce qu'il y a de plus absolu dans l'humanité, ah! c'était merveilleux, enlacés jusqu'à l'infini, notre amour se consolidant au moindre geste, au moindre regard et à la moindre parole, comme si nous étions deux sourciers cherchant en l'autre l'essence même de ce qu'il est, liés pour toujours, que nous disions, je pensais presque toujours à lui et de moins en moins à moi, et il en était de même pour Adam, de patients nous étions devenus amants, et les infirmiers gardaient toujours l'œil grand ouvert sur nous, surtout quand Adam m'embrassait longuement, me coupant presque le souffle, peut-être qu'ils voyaient là-dedans les premiers signes d'une quelconque guérison, et des fois nous passions tout l'après-midi sur les balançoires nouvellement installées dans le jardin, certaines personnes disaient que nous avions l'air de jeunes enfants en dehors du temps, sortis tout droit du pays des merveilles, et c'était bien ainsi, que désirer de plus au monde, nous avions le monde au creux de nos mains, toute la vie s'y retrouvant dans ce qu'elle a de plus riche, Adam et Ève enfin ensemble dans leur jardin d'Éden, leur petit nid d'amour construit lentement et passionnément, et cela nous faisait rire aux éclats quand nous nous apercevions que finalement tout le monde, sauf Catherine, nous prenait pour deux fous, aussi bien les laisser faire, qu'on chuchotait, ils ne font rien de mal, ils ne dérangent personne, ils croient seulement qu'ils sont à l'origine du monde, que tout ce qui existe ici-bas commence en eux et avec eux, aussi bien leur foutre la paix, c'est du délire, et tout ce qui va avec, les hallucinations en particulier, vous avez là le plus bel exemple d'une psychose aiguë, ça devait être plein de psychiatres derrière les fenêtres à nous observer jusque dans notre tête, à nous épier jusque dans notre cœur, la folie étalée au grand jour dans ce jardin d'Éden, voilà l'exemple parfait de deux êtres qui désapprennent en peu de temps tout ce que l'homme a appris, ils n'ont plus aucune notion du temps, ils ne savent plus ce qui se passe sur la planète, ils s'approchent dangereusement de la jungle, voilà nos deux singes, et ce n'est pas un cirque, loin de là, ils campent à la perfection leurs personnages, regardez-les, vous avez devant vous Adam et Ève, fraîchement conservés, en chair et en os, dans toute leur splendeur, approchez, mesdames et messieurs, c'est un spectacle unique au monde, et quand Adam s'apercevait que quelqu'un nous regardait plus longtemps qu'il est normalement permis de regarder quelqu'un, à moins de le connaître ou de vouloir en arriver là, il poussait de grands cris et se mettait à sauter comme un gorille, les joues gonflées et les bras ballants, et ça me faisait rire jusqu'aux larmes, alors ces yeux voyeurs se dirigeaient vers autre chose ou quelqu'un d'autre, oui, je m'en souviens maintenant comme si c'était hier de ces si beaux moments que nous avons eus, Adam et moi, là-bas, dans cet hôpital et parfois, comme cette nuit par exemple, ils s'illuminent dans ma mémoire, Adam et Ève, morts un jour d'une mort recherchée et désirée, comme me le disait Catherine, peut-être que toute bonne chose a une fin et que la vie n'est ni plus ni moins qu'une suite sans fin de multiples morts qui préparent la dernière, celle qui commence dès la naissance, ah! Adam, mon premier amour, où en es-tu maintenant dans ta vie, ce souvenir qui nous lie au-delà du temps m'empêche cette nuit de dormir, Adam, par qui l'amour a pris tout son sens, et pour en revenir à ce joli mois de mai fleuri de ma vie, je me souviens d'une nuit où j'avais fait un rêve vraiment bizarre, je m'étais réveillée toute en sueur, et le lendemain matin j'étais allée frapper à la porte de Catherine et je lui avais dit, il faut absolument que je te voie, c'est urgent, je ne peux attendre parce que je veux en avoir le cœur net, et Catherine m'a dit d'entrer, j'étais tout énervée, je ne tenais plus en place, fumant cigarette sur cigarette, puis Catherine m'a demandé d'essayer de me calmer, de me détendre, qu'est-ce qui t'arrive, Ève? je lui ai dit, cette nuit, j'ai fait un rêve pas mal étrange, ça signifie sûrement quelque chose, je ne sais pas, mais depuis cette nuit que j'y pense, ça m'obsède, tu peux pas savoir comment, et Catherine m'a dit de prendre tout mon temps pour être certaine de ne rien oublier, puis j'ai commencé à lui raconter tout ça, dans mon rêve j'étais une toute petite fille, je devais avoir pas plus de dix ans, j'étais dans la jungle, perdue dans la jungle, seule, toute seule, et il faisait noir, oui, c'était la nuit parce que dans le ciel il y avait plein d'étoiles, et j'entendais toutes sortes de cris, toujours les mêmes, des cris stridents, des sifflements, des croassements, et ça n'arrêtait pas, et moi j'étais là, couchée au pied d'un gros arbre, je frissonnais de peur et je pleurais parce que tout autour de moi c'était plein de bêtes méchantes qui me guettaient, alors sans faire de bruit, je me suis levée, et je me suis mise à courir sans arrêt, de toutes mes forces, je n'osais pas me retourner pour voir si les bêtes étaient à ma poursuite, prêtes à me tuer, et j'avais du sang qui coulait sur mes joues à cause des branches qui me fouettaient le visage, puis tout à coup j'ai entendu rugir l'homme-lion dans la nuit, j'ai couru plus vite encore, il ne devait pas être loin, j'avais de la difficulté à respirer, le souffle coupé, un point dans le bas du ventre, soudain je suis tombée, je ne pensais plus être capable de me relever, j'ai crié maman, maman, au secours! viens m'aider, et au même moment j'ai vu une lumière au loin, alors j'ai fait un effort pour me mettre debout, j'ai couru encore un peu, je suis arrivée face à face avec un gros serpent qui me fixait droit dans les yeux, il sifflait, j'ai hurlé et je me suis écartée de son chemin avant qu'il me pique, mais je voyais toujours au loin la lumière briller dans le noir, alors je me suis dit, c'est sûrement une maison où il y a quelqu'un, j'ai couru en direction de cette lumière, tombant, me relevant, puis à un certain moment j'ai vu une ombre derrière un arbre, oui, oui, c'était lui, je l'ai reconnu tout de suite, l'homme-lion, celui qui violait les enfants jusque dans ce qu'ils ont de plus beau et de plus pur, il est sorti de sa cachette en rugissant si fort que toutes les autres bêtes se sont enfuies, et il s'est avancé vers moi, avec ses griffes sorties, sa crinière au vent et sa grande gueule ouverte, affamé, la bave lui coulant partout, alors j'ai poussé un grand cri qui a résonné partout dans la jungle, excitant au plus haut point toute cette faune sauvage, puis, ne pouvant faire un pas de plus, comme prise au piège, vidée de toutes me forces, épuisée par cette longue course, je me suis assise par terre et j'ai sucé mon pouce en pleurant, mes larmes se mêlant à mon sang, j'ai pensé très fort à la fée de la jungle, je l'ai appelée du fond de ma nuit, aide-moi, je t'en prie, ne me laisse pas tomber, l'homme-lion veut me manger, je ne veux pas mourir, et soudain tout s'est éclairé devant moi, c'était plein de lumière partout, j'ai vu le grand château, le château de la fée de la jungle, bleu, mauve, rose, d'une beauté céleste, il scintillait dans la nuit, on aurait dit un gros diamant, et la fée de la jungle est apparue au-dessus des arbres, elle m'a regardée en souriant longuement, j'ai senti une chaleur m'envahir, une chaleur renfermant tout l'amour du monde, et comme l'homme-lion s'apprêtait à sauter sur moi, ses longues dents pointues prêtes à me déchirer dans ce que j'ai de plus intime, la fée a donné un petit coup de baguette, et une espèce de rayon lumineux est sortie de sa baguette magique et a atteint l'homme-lion en plein cœur, il est resté figé dans les airs, électrocuté, puis il est retombé sur ses pattes en crachant toute sa haine, puis il s'est mis à brûler, il hurlait, grognait et gémissait de douleur, je me suis relevée et j'ai couru vers le château, la porte s'est ouverte toute grande, je suis entrée à l'intérieur, j'ai regardé au loin, je pouvais voir l'homme-lion tout en flammes, rôtissant, une fumée noire s'élevant au-dessus de sa carcasse, puis la porte du château s'est refermée toute seule comme par magie, j'ai entendu une douce musique et le tintement de petites clochettes, je me sentais tellement bien, si bien, tout ce silence à moi, rien qu'à moi, et toute cette lumière qui montait lentement en moi, c'était bon, c'était chaud, et soudain la belle fée de la jungle m'est apparue, toute vêtue de blanc, sortant d'un nuage d'étoiles multicolores, je lui ai fait un beau sourire pour lui témoigner toute ma reconnaissance et mon affection, elle s'est approchée de moi sans faire de bruit, tout doucement, sur la pointe des pieds, puis elle a passé sa main sur mon visage d'enfant pour assécher mes larmes et pour apaiser ma fièvre si ténébreuse, si douloureuse, j'ai posé ma tête sur son ventre, je l'ai serrée très fort dans mes bras, et on est restées comme ça un long moment, sans rien dire, elle ne faisait que me caresser, sa main se perdant dans mes cheveux, ah! c'était la sensation la plus merveilleuse au monde, le paradis à tout jamais retrouvé, et je l'entends encore me dire du fond de mon enfance comme d'un si lointain cauchemar que jamais de sa vie on oublie, je l'entends encore me dire, bonne nuit, mon petit, c'est fini.

Note de l'auteur: Ève quitta l'hôpital au bout de deux ans et elle ne fut jamais citée à son procès; lors de l'enquête policière, on découvrit que le revolver avec lequel elle avait tiré, contenait en réalité des balles à blanc.

Votre sourire dans votre visage
ma douleur sur votre visage
votre douleur sur mon visage
mon sourire sur mon visage.

SYGNE

CET OUVRAGE
COMPOSÉ EN SOUVENIR CORPS 12 SUR 14
A ÉTÉ ACHEVÉ D'IMPRIMER
LE VINGT AVRIL
MIL NEUF CENT QUATRE-VINGT-DIX
PAR LES TRAVAILLEURS ET TRAVAILLEUSES
DE L'IMPRIMERIE MARQUIS
À MONTMAGNY
POUR LE COMPTE DE
VLB ÉDITEUR.

IMPRIMÉ AU QUÉBEC (CANADA)